CD付き

にほんごで働く!
ビジネス日本語 30時間

宮崎道子・郷司幸子 著

スリーエーネットワーク

© 2009 by MIYAZAKI Michiko and GOSHI Sachiko

All rights reserved. No part of this publication may be reproduced, stored in a retrieval system, or transmitted in any form or by any means, electronic, mechanical, photocopying, recording, or otherwise, without the prior written permission of the Publisher.

Published by 3A Corporation.
Trusty Kojimachi Bldg., 2F, 4, Kojimachi 3-Chome, Chiyoda-ku, Tokyo 102-0083, Japan

ISBN978-4-88319-490-2 C0081

First published 2009
Printed in Japan

はじめに

本書は、仕事上のコミュニケーションを日本語で行いたいと考えるビジネスパーソンや、将来日本で仕事に就きたいと考えている初級終了レベルの学習者に向けたテキストです。社内外で遭遇するビジネスの場面において、よい人間関係を築き、スムーズに業務を行えるようにすることを目的としています。

本書の特色

①学習時間は約 30 時間

　短期間で日本でのビジネスに必要な基本的なこと（敬語表現、ビジネスマナーなど）を身につけることができます。

②機能別の課構成

　全課、機能別に構成されており、各ビジネス場面に応じて使える日本語の習得を目指します。各課では核となる機能表現を含む短い談話を練習し、会話へとふくらませます。学習者が必要とする課だけ取り出して学習することも可能です。

③豊富なイラスト

　多くのイラストが学習者の理解を助けます。また、言葉を具体的な場面と結び付けて覚えるのに役立ちます。

本書の作成にあたりましてはスリーエーネットワークの佐野智子さん、田中綾子さん、服部智里さんに多くの貴重な御助言と御尽力をいただきました。心より謝意を表します。

2009 年　1 月

著者

本書の使い方（教える方へ）

|||| **本書の構成** ||||||||||||||||||||||||||||||||||||||||||

本冊（全8課、会社で使うことば、敬語表、解答とスクリプト、索引）、別冊（「ことば」の英語、中国語、韓国語訳）、CD（談話、会話、一部のクイズ）1枚から構成されている。

|||| **各課の構成と効果的な使い方** ||||||||||||||||||||||

学習時間は1課につき3～4時間を目安とする。

1．目　的		課の学習に入る前に読んで、学習の目的を明確にする。
2．クイズ		学習の前のウォーミングアップである。クイズをやりながら学習者同士で自己の経験や日頃疑問に思っていること、分からないことを話し合って動機づけをする。
3．表　現		「談話」、「会話」で取り上げている重要な機能表現がまとめてある。「談話」、「会話」には使われていないが覚えておくと便利な表現は「参考」として載せてある。
4．ことば		日本語能力試験出題基準2級以上のものを中心に、「談話」、「会話」、「練習」に出てくる語句・表現を取り上げている。別冊に、英語、中国語、韓国語訳があるので、学習者は「談話」、「会話」、「練習」を行う前に、言葉の意味を理解しておく。また、アクセント記号を参考に、音読して発音を確かめるとよい。
5．談　話		基本となる機能表現にポイントを置いた3～4種の場面の短い談話である。覚えるまで徹底的に練習を行う。 CDを使って導入し、代入練習はイントネーション、発音に注意しながら、自然なスピードで言えるようになるまで練習を繰り返す。スムーズに言えるようになったら、学習者が自分の状況で談話を作り、動作とともに発表する。

6．会　話		談話をベースに更に内容を広げたものである。 まずCDを聞いて内容を把握する。次に役割を決めて動作とともに発話練習を行う。未習の表現や難しい文法項目がある場合は、先に確認するとよい。この会話を使いこなせるようにした後、実際の状況で応用する。
7．ロールプレイ		談話や会話が定着したらロールプレイを行う。与えられた情報に基づいて、その課で学んだ機能表現や、ふさわしい待遇表現を使って会話を作り、それを演じる。教師は講評をし、フィードバックを行う。
8．練　習		文法項目などの口頭練習である。基本的に談話で練習しているものは省いてあるが、大切な表現は練習でも取り上げた。対話形式になっているものが多いので、学習者同士で練習するとよい。
9．ビジネスコラム		日本のビジネスマナーや習慣について理解を深めるための短いコラムである。余裕のある学生は、母国の習慣と比較して話し合うのもいいだろう。

その他

漢字は基本的に常用漢字を使用し、すべての漢字にふりがなをつけている。

本書の使い方（学習する方へ）

本書の構成

①本冊（全8課、会社で使うことば、敬語表、解答とスクリプト、索引）
②別冊（「ことば」の英語、中国語、韓国語訳）
③CD（談話、会話、一部のクイズ）1枚

1課の勉強のしかた

1. 目的
   - 勉強する前に読みます。
2. クイズ
   - 勉強の前のウォーミングアップです。
   - 勉強の前にやってください。
3. 表現
   - この課で勉強する大切な言い方です。
   - 覚えて使えるようにしてください。
4. ことば
   - 「談話」、「会話」、「練習」に出てくる日本語能力試験2級以上の言葉と表現です。
   - 別冊の英語、中国語、韓国語訳で、勉強の前に意味を確かめてください。
5. 談話
   - 課の勉強の中心になる短い会話です。
   - はじめにCDを聞いて、内容を理解してください。
   - 次にCDを使ってリピート練習をします。CDと同じぐらいの速さで上手に言えるまで練習して覚えてください。
   - 覚えたら＿＿＿の言葉を入れかえて練習してください。
   - 最後に自由に言葉を入れかえて練習してください。
6. 会話
   - 練習した談話を使った長い会話です。
   - はじめにCDを聞いて、内容を理解してください。
   - 絵を見ながら上手に言えるようになるまで練習して覚えてください。

7．ロールプレイ	・勉強した内容を使って自分で会話を作る練習です。 ・AかBかどちらか自分の役を決めます。 ・書いてある情報を読んで、会話の場面を理解してから、会話を作って演じてください。
8．練　習	・会話のための文法・表現の練習です。会話のように声を出して言ってみましょう。 ・「談話」で練習したもの以外の文法・表現の練習ですが、大切な言い方は「談話」と同じものもあります。
9．ビジネスコラム	・日本のビジネスマナーや習慣についての短い読みものです。 ・読んで理解してください。

目次

はじめに ……(3)
本書の使い方（教える方へ）……(4)
本書の使い方（学習する方へ）……(6)

1 紹介する ……1

談話 ……5
1 自己紹介する　2 他社の人にあいさつする　3 他社の人に自社の人を紹介する

会話 ……7
1 入社のあいさつ　2 担当交代のあいさつ　3 上司の紹介

ビジネスコラム　名刺交換 ……18

2 あいさつをする ……19

談話 ……22
1 休んだり、早退したりした時　2 久しぶりに会った時
3 お祝いを言う　4 会社を辞めたり、転勤したりする時

会話 ……24
1 風邪で会社を休んだ時　2 昇進のお祝い　3 帰国のあいさつ

ビジネスコラム　おじぎ／ていねいな気持ちは何度？ ……33

3 電話をかける・受ける ……35

談話 ……40
1 不在を伝える　2 伝言を頼む
3 伝言を確認する　4 相手の社名や名前を聞き返す

会話 ……42
1 伝言を受ける　2 わかりにくい名前を聞く

ビジネスコラム　電話のルール／いつもお世話になっております ……51

4 注意をする・注意を受ける ……53

談話 ……57

1　注意をする・あやまる　2　婉曲的に注意をする
3　他社の人に苦情を言う・あやまる

会話 ……59

1　注意を受ける ―あいづち―　2　アドバイスを受ける ―書類作成―
3　苦情を受ける ―サンプルの手配―

ビジネスコラム　ホウレンソウ ……67

5 頼む・断る ……69

談話 ……73

1　上司に依頼する　2　依頼されたことを確認する
3　上司の依頼を断る　4　値段の交渉をする　5　勧誘を断る

会話 ……76

1　上司に急な依頼をする ―書類のチェック―　2　上司の依頼を断る ―資料の作成―

ビジネスコラム　新入社員のタイプ／今年は何型？ ……84

6 許可をもらう ……85

談話 ……88

1　上司に許可を求める　2　他社の人に許可を求める

会話 ……90

1　早退する　2　社用車を借りる　3　後でファクスで送る

ビジネスコラム　日本人の労働時間 ……98

7 アポイントをとる ……99

談話 ……102
1 自社の人にアポイントをとる　2 他社の人にアポイントをとる（許可を求める、提案する）
3 面識のない人にアポイントをとる　4 約束を変更する

会話 ……105
1 知り合いに紹介してもらった人にアポイントをとる　2 上司の都合を聞く
3 訪問の日を変更する

ビジネスコラム　飛び込み ……114

8 訪問する ……115

談話 ……118
1 取り次ぎを頼む　2 名前の読み方を聞く　3 辞去する

会話 ……120
1 受付で取り次ぎを頼む　2 応接室で面会する

ビジネスコラム　訪問のマナー ……129

巻末　会社で使うことば ……132
　　　敬語表 ……133
　　　解答とスクリプト ……135
　　　索引 ……146

別冊　ことば（英語・中国語・韓国語）

1 紹介する

仕事では、第一印象はとても大切です。自己紹介のしかたや、ほかの人に紹介してもらった時の受け答えで第一印象が決まります。この課では、自社の人や他社の人に初めて会った時にどんな紹介をしたらいいかを勉強します。

クイズ

Aさんは上司と一緒にX社へ行って、X社の部長にあいさつをします。上司とX社の部長は初めて会います。誰を最初に紹介したらいいか考えてください。

Aさん

X社部長　　　　上司

表現

自己紹介する
・〔名前〕と申します。

　　　　でございます。
　　　　例）オリエンタル商事のリビングストンでございます。

・〜（こと）になる
　　　　例）今日から営業3課で働くことになりましたリビングストンと申します。
　　　　例）今日から営業3課に配属になりましたリビングストンと申します。

・よろしくご指導ください。

他社の人にあいさつする
・お世話になっております。

ほかの人を紹介する
・〔自社の人の名前〕でございます。
　　　　例）こちらは営業部部長の長井でございます。
・〔他社の人の名前〕様でいらっしゃいます。
　　　　例）こちらはX社の開発部部長の江藤様でいらっしゃいます。

ことば

談話1
- めいわく　迷惑
- しどう（する）　指導（する）
- てんきん（する）　転勤（する）
- けんしゅう　研修
- はいぞく　配属

- みょうじ　名字
- たんとう（する）　担当（する）
- プロジェクト
- チーム
- くわわる　加わる

談話2
- せわ　世話
- しんせいひん　新製品
- きかく　企画
- ちく　地区
- しじょうちょうさ　市場調査

談話3
- たすける　助ける
- ひきたてる　引き立てる
- きちょう　貴重
- じょうほう　情報
- もうしわけない　申し訳ない
- アドバイス

会話1
- にゅうしゃ（する）　入社（する）
- このたび
- ゆうしゅう　優秀
- せいせき　成績
- わがしゃ　わが社
- ごうかく（する）　合格（する）
- とんでもないです
- ～づとめ　～勤め
- とまどう　戸惑う

会話2
- こうたい　交代
- じつは　実は
- こうにん　後任
- もの　者
- おそれいります　恐れ入ります
- どうよう　同様
- めいし　名刺
- せいいっぱい　精いっぱい

会話3
- うち
- はんとし　半年
- ～ちかく　～近く
- こんごとも　今後とも

練習1
- けいご　敬語
- しつれいですが　失礼ですが
- ～しゃ　～社
- ほうもん（する）　訪問（する）
- しょるい　書類

1 紹介する

レポート
け︎んしゅ︎うせい　研修生
か︎いがい　海外
しゅ︎っちょう(する)　出張(する)
ス︎ケ︎ジュール

ホ︎テルを　と︎る
し︎んか︎んせん　新幹線
き︎かくしょ　企画書
な︎いよう　内容
く︎わ︎しい　詳しい
し︎りょう　資料
ファ︎クス

練習2　こ︎く︎ない　国内
い︎ちらん　一覧

談話

1 自己紹介する

〔1〕 **01**

A：①今日から営業3課で働くこと になりましたリビングストンと申します。
B：川田です。よろしくお願いいたします。
A：②ご迷惑をおかけする こともあるかと思いますが、よろしくご指導ください。

例）①今日から営業3課で働くこと　　②ご迷惑をおかけする
1）①大阪から転勤　　　　　　　　　②いろいろお伺いする
2）①こちらで6か月間研修を受けること　②日本語を間違える
3）①今日から営業3課に配属　　　　②失礼な日本語を使う

〔2〕 **02**

A： 今日からこちらで研修を受けること になったリビングストンです。イギリスから参りました。どうぞよろしくお願いいたします。リビングストンは名字ですが、言いにくい方はダニーと呼んでください。

例）今日からこちらで研修を受けること
1）今日から営業3課に配属
2）今度、営業担当
3）今日からこちらの課でみなさんと一緒に仕事をすること
4）今度、このプロジェクトチームに新しく加わること

2 他社の人にあいさつする

A：①御社を担当させていただきます　オリエンタル商事のリビングストンでございます。どうぞよろしくお願いいたします。

B：あ、リビングストンさんですか。いつもお世話になっております。②営業部の木村でございます。こちらこそどうぞよろしくお願いいたします。

◆①は＿＿＿に合う形に変えてください。

例）①御社を担当する　　　　　②営業部
1）①新製品の企画を担当する　　②開発部
2）①この地区を担当している　　②経理部
3）①市場調査を担当している　　②総務部

3 他社の人に自社の人を紹介する

A：こちらは弊社の営業部部長の長井でございます。部長、こちらは開発部部長の江藤様でいらっしゃいます。

B：はじめまして。長井と申します。①いつもチンがいろいろとお世話になっております。

C：いえ、こちらこそ。チンさんには　②よくやって　いただいております。

◆②は＿＿＿に合う形に変えてください。

例）①いつもチンがいろいろとお世話になっております
　　②よくやる
1）①いつもチンにご指導いただきありがとうございます
　　②いろいろ助ける
2）①いつもお引き立ていただきありがとうございます
　　②いつも貴重な情報を教える
3）①ごあいさつに伺うのが遅くなりまして申し訳ございません
　　②いいアドバイスをする

会話

1　入社のあいさつ　05

〈社内で〉

課長　みなさん、今日から営業3課に配属になったリビングストンさんを紹介します。

ダニー　ロンドンから参りましたリビングストンと申します。よろしくお願いいたします。リビングストンは名字ですが、言いにくい方はダニーと呼んでください。

課長　ダニーさんは、2年間日本語学校で勉強されました。そしてこのたび、優秀な成績でわが社の入社試験に合格されました。そうですよね、ダニーさん。

ダニー　いえいえ、とんでもないです。会社勤めは初めてですので、戸惑うこともあるかと思いますが、一生懸命がんばりますので、よろしくご指導ください。

1 紹介する

2　担当交代のあいさつ

長井：オリエンタル商事
チン：オリエンタル商事
木村：ＡＢＣカンパニー

長井　いつもお世話になっております。実はこのたび御社の担当が替わりましたので、後任の者を連れてごあいさつに参りました。

木村　それはごていねいに、恐れ入ります。

長井　こちらが私の後任のチンシュウメイでございます。私同様よろしくお願いいたします。

チン　このたび、御社を担当させていただくことになりましたチンでございます。（名刺を渡す）

木村　あ、チンさんですか。木村でございます。（名刺を渡す）どうぞよろしくお願いいたします。

チン　精いっぱいがんばりますので、こちらこそ、よろしくお願いいたします。

3 上司の紹介 07

チン：オリエンタル商事営業部
長井：オリエンタル商事営業部　部長
江藤：第一製鉄開発部　部長

チン　　江藤部長、こちらは弊社の営業部部長の長井でございます。部長、こちらは開発部長の江藤様でいらっしゃいます。

長井　　長井と申します。いつもチンがいろいろとお世話になっております。

江藤　　いや、こちらこそ。チンさんはうちの担当になられてから、もう半年近くになりますが、非常によくやっていただいております。

チン　　いえ、とんでもないです。江藤部長にはいろいろ助けていただいております。

長井　　今後ともどうぞよろしくお願いいたします。

ロールプレイ

1 A:
あなたは入社したばかりの社員です。今日初めて会社へ来ました。同じ課の人たちに自己紹介をしてください。
（名前・どこから来たか・呼んでもらいたいニックネーム・「これからよろしくお願いします」という気持ちが伝わる言葉などを言いましょう。）

※上司や同僚の家族に初めて会った時のあいさつや引っ越してきた時の近所の人へのあいさつも考えてみましょう。

2 **A：**
（X社社員）
あなたは上司のBさんと一緒にY社のCさんを訪問します。BさんとCさんは初めて会います。
CさんにBさんを紹介し、BさんにCさんを紹介してください。

B：

（X社社員）
あなたはAさんの上司です。Y社のCさんに初めて会います。
あいさつをしてください。

C：

（Y社社員）
X社のAさんが上司のBさんと一緒に来ます。Bさんには初めて会います。
あいさつをしてください。

練習

1 敬語

〔A〕 特別な形

AさんとBさんは別の会社の社員です。ていねいに話してください。

例)

A：失礼ですが、お名前は何とおっしゃいますか。
B：田中と申します。

1)

2)

3)

4)
- あさって何時ごろ弊社へ来ますか。
- 2時ごろ訪問します。

5)
- その書類を見てもいいですか。
- どうぞ見てください。

〔B〕 ～(ら)れる ・ お～になる

AさんとBさんは同じ会社の社員です。社長について、ていねいに話してください。

例)
- A: 社長はもう出かけましたか。
- B: ええ、もう出かけましたよ。

A: 社長はもう出かけられましたか。
B: ええ、もうお出かけになりましたよ。

1)
- 社長はもう戻りましたか。
- ええ、もう戻りましたよ。

2) 社長はもうこのレポートを読みましたか。 / ええ、もう読みましたよ。

3) 社長はもう研修生と会いましたか。 / ええ、もう会いましたよ。

4) 社長はもう帰りましたか。 / ええ、もう帰りましたよ。

5) 社長はもう海外出張のスケジュールを決めましたか。 / ええ。もう決めましたよ。

〔C〕 お／ご〜します。

Bさん（部下）はAさん（上司）の話を聞いて、ていねいに答えてください。

例）
A: これ今日中に終わらせたいんだけど、終わりそうもないなあ。
B: では、お手伝いします。（手伝う）

1) A: 出張するので、ホテルをとってくれますか。
B: はい、＿＿＿＿＿＿＿。（とる）

2) A: あさっての朝の新幹線の時間が知りたいんですが。
B: はい、すぐ＿＿＿＿＿＿＿。（調べる）

3) A: う〜ん、重いな。
B: わたしが半分＿＿＿＿＿＿＿。（持つ）

1 紹介する

4) 企画書の内容をもう少し詳しく説明してください。 / はい、_____。（説明する）

5) 今、X社にいるんだけど、資料を忘れちゃって…。 / すぐにそちらにファクスで_____。（送る）

2 ～（さ）せていただきます。

BさんはAさんの会社を訪問します。BさんはAさんの話を聞いて、ていねいに答えてください。＊は特別な形の敬語を使います。

例) A：明日、お待ちしています。 / B：はい、伺う前にまたお電話させていただきます。（お電話する）

1) どうぞ中でお待ちください。 / いいえ、けっこうです。こちらで_____。（待つ）

2) このパソコンをお使いください。  ありがとうございます。では、＿＿＿＿＿＿。
（使う）

3) うちの国内支社の一覧です。どうぞご覧ください。  ありがとうございます。では、＿＿＿＿＿＿。
（見る*）

4) 今日はありがとうございました。  こちらこそありがとうございました。では、ここで＿＿＿＿＿＿。
（失礼する）

5) 外は寒いですから、どうぞこちらでコートをお召しください。  ありがとうございます。では、失礼して＿＿＿＿＿＿。
（着る）

1 紹介する

ビジネスコラム

名刺交換

　ビジネスで初対面の人に会った時、名刺交換をします。「〇〇社の△△と申します」と会社の名前と自分の名前を言いながら、名刺を相手の胸の高さに出して渡します。会社の名前と自分の名前を言ってから、「どうぞよろしくお願いいたします」と言います。受け取る時は、「ちょうだいいたします」と言います。両手で名刺を持って、渡したり受け取ったりするのがいちばんていねいですが、同時に出してしまったらどうしたらいいでしょうか。相手が名刺を取るのを待ってから受け取ります。相手を優先する気持ちを示すことになります。

2 あいさつをする

場面に合ったあいさつは、会話の基本です。この課では、日本人とのコミュニケーションを深めるためにいろいろな場面でのあいさつを勉強します。あいさつに合った動作もあわせて練習しましょう。

クイズ

こんな時、何と言いますか。1）〜8）に合うあいさつを選んで、線で結んでください。

1）社長の部屋に入ります　　　　　　　・　　・a. おめでとうございます
2）上司のお父さんが亡くなりました　　・　　・b. おつかれさまでした
3）同僚が先に退社します　　　　　　　・　　・c. ごぶさたしております
4）同僚より先に退社します　　　　　　・　　・d. このたびは、ご愁傷様でございました
5）久しぶりに前の上司に会いました　　・　　・e. 失礼いたします
6）同僚が結婚します　　　　　　　　　・　　・f. お先に失礼します
7）客が部屋で待っています　　　　　　・　　・g. どうもごちそうさまでした
8）上司におごってもらいました　　　　・　　・h. お待たせいたしました

表現

早退・遅刻・休暇明け（自分の都合で長く休んだ後）

・〜て申し訳ありませんでした。
　　　　例）忙しい時に休んでしまって申し訳ありませんでした。
　　　　例）遅くなって申し訳ありませんでした。

久しぶりに会う

・ごぶさたしております。
・お久しぶりでございます。
・お変わりございませんか。

お祝い

・お／ご〜おめでとうございます。
　　　　例）ご栄転おめでとうございます。

退職・転勤・帰国

・いろいろお世話になりました。

▶**参考**　**知り合いの家族や親戚が亡くなった時**
　　・このたびは、ご愁傷様でございました。

　　お礼
　　　・その節は、ごていねいにありがとうございました。

　　年末
　　　・どうぞよいお年をお迎えください。

　　新年
　　　・あけましておめでとうございます。
　　　・今年もよろしくお願いいたします。

ことば

談話1 そうたい（する） 早退（する）
おかげさま
きこく（する） 帰国（する）
けっこんしき 結婚式
ぶじ 無事

談話2 ごぶさた
なんとか

談話3 たんじょう 誕生
えいてん 栄転
しょうしん 昇進

談話4 やめる 辞める
たいしょく（する）
　　退職（する）
いどう（する） 異動（する）

会話1 インフルエンザ
おなかにくる
ひどいめに あう
　ひどい目にあう
バリバリやる
たまる

会話2 じき 時期
さっする 察する
ひとつ よろしく たのみます
　ひとつよろしく頼みます

会話3 まる～ねん まる～年
きを つける 気をつける

練習1 よさん 予算
ずいぶん
だいがくいん 大学院
たいした 大した
からだが つづく 体がつづく

練習2 らいてん 来店
のみや 飲み屋
きゅう 急
やちん 家賃
ねだん 値段

談話

1 休んだり、早退したりした時

A：主任、①忙しい時に3日も休んで しまって申し訳ありませんでした。
B：あ、アランさん、ゆっくりできましたか。
A：ええ、おかげさまで ②すっかりよくなりました 。

◆①は____に合う形に変えてください。
例）①忙しい時に3日も休んだ　　②すっかりよくなりました
1）①きのうは早退した　　　　　②元気になりました
2）①2週間も夏休みをいただいた　②両親とゆっくり旅行ができました
3）①10日も帰国した　　　　　　②妹の結婚式も無事終わりました

2 久しぶりに会った時

A：吉田さん、①ごぶさたしております 。
B：②こちらこそ 。最近はいかがですか。
A：ええ、なんとか。

例）①ごぶさたしております　　②こちらこそ
1）①お久しぶりでございます　②お久しぶりです
2）①お変わりございませんか　②おかげさまで
3）①しばらくでございます　　②あ、しばらくです

3 お祝いを言う 🔟

A：①吉田さん　、②お子さんのお誕生　おめでとうございます。
B：ありがとうございます。
A：③吉田さんによく似ていらっしゃる　そうですね。本当におめでとうございます。

◆③は＿＿に合うていねいな形に変えてください。＊は特別な形の敬語を使います。

例）①吉田さん　　②お子さんのお誕生　　③吉田さんによく似ている＊
1）①部長　　　　②ご栄転　　　　　　　③アメリカへ行く＊
2）①吉田課長　　②ご昇進　　　　　　　③部長になる
3）①山本さん　　②お嬢さんのご入学　　③東京大学に入った

4 会社を辞めたり、転勤したりする時

A：山田さん、来月　帰国する　ことになりました。3年間、いろいろお世話になりました。
B：もう3年ですか。早いものですね。
A：山田さんには本当にお世話になりました。
B：いえいえ、こちらこそ。

例）帰国する
1）退職する
2）大阪に転勤する
3）営業2課に異動する

会話

1 風邪で会社を休んだ時

〈社内で〉

アラン　主任、忙しい時に3日も休んでしまって申し訳ありませんでした。
主任　　あ、アラン君、もういいの？
アラン　ええ。おかげさまですっかりよくなりました。
主任　　今年のインフルエンザはひどいそうだね。
アラン　ええ。おなかにきちゃって、ひどい目にあいました。
主任　　そう。大変だったね。今日からまたがんばって。
アラン　はい。今日からまたバリバリやります。仕事が山のようにたまっちゃいましたから。

2　昇進のお祝い　🔴13

アラン：ＡＢＣカンパニー
吉田：東京商事

アラン　吉田さん、ごぶさたしております。
吉田　　こちらこそ、ごぶさたしております。お仕事はいかがですか。
アラン　まあ、なんとか。
　　　　ところで吉田さん、部長になられたそうですね。ご昇進おめでとうございます。

吉田　　ありがとうございます。しかし、今は時期が時期だから…。
アラン　そうですね。大変な時期だとお察しします。
吉田　　今後ともひとつよろしく頼みます。
アラン　こちらこそ、よろしくお願いいたします。

3　帰国のあいさつ　14

〈社内で〉

アラン　山田さん、来月フランスへ帰国することになりました。いろいろお世話になりました。
山田　え、もう帰国ですか。日本には何年になりましたか。
アラン　まる4年です。
山田　そうですか。早いものですね。また、機会があったら、東京へ来てください。
アラン　そうですね。ぜひ、そうしたいと思っています。
山田　じゃあ、体に気をつけてがんばってください。
アラン　はい、山田さんもどうぞお元気で。

※１２３の会話は上司や他社の人とていねいに話す時の会話です。
同僚や友人との会話にしてみましょう。

ロールプレイ

1 **A：** あなたは1週間会社を休んで帰国していました。今日は久しぶりに会社へ来ました。
上司のBさんにあいさつをしてください。

B： 会社を休んで帰国していた部下のAさんが、久しぶりに会社へ来ました。Aさんがあいさつに来るので、返事をして、Aさんと話してください。

※長く休んで旅行をした時などは、会社の人におみやげを渡すこともあります。何と言って渡したらよいのかも考えてみましょう。

2 **A：**

あなたは今日、会社へ来る時、電車が事故で止まったため、遅刻してしまいました。
上司のBさんに遅刻した理由を言って、あやまってください。

B：

遅刻した部下のAさんがあやまりに来ます。
Aさんの話を聞いて、Aさんと話してください。

3 **A：** あなたは来週、帰国することになりました。
仕事でもプライベートでもお世話になった同僚のBさんに、帰国のあいさつをしてください。

2 あいさつをする

B：  同僚のAさんがあいさつに来ます。
Aさんの話を聞いて、Aさんと話してください。

※特にお世話になった人には、お礼のプレゼントを渡すこともあります。
何と言って渡したらよいのかも考えてみましょう。

練習

1　〜ものですね。

BさんはAさんの話を聞いて、返事をします。□の中から＿＿＿に合うものを選んで答えてください。

例）
A：日本へ来て、もう3年になります。 
B：もう3年ですか。＿＿早い＿＿ものですね。

1）
A：新製品開発のための予算は2億円だそうですよ。 
B：へえ、2億円ですか。ずいぶん＿＿＿＿＿ものですね。

2）
A：これ、ジョンさんが作った企画書ですが、なかなかよくできていますよ。 
B：ええ、＿＿＿＿＿ものですね。入社してまだ1年なのに。

3）
A：パクさんは昼間は会社で仕事をして、夜は大学院に通っているんですよ。 
B：へえ、よく＿＿＿＿＿＿＿＿ものですね。仕事も休まないし。

4）

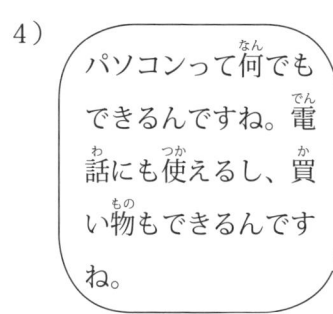

パソコンって何でもできるんですね。電話にも使えるし、買い物もできるんですね。

ええ、＿＿＿＿＿ものですね。パソコンのない生活なんて考えられませんよ。

| 大した | 例）早い | お金がかかる | 体がつづく | 便利な |

2 ～が～だから

BさんはAさんの話を聞いて、返事をします。□の中から＿＿＿に合うものを選んで答えてください。

例） A：今、X社に電話しているんですが、誰も出ないんですよ。もうみんな帰ったんでしょうか。
　　B：まあ、_時間_が_時間_だからね。

1） A：今日は来店のお客様が少ないですね。
　　B：まあ、＿＿＿＿が＿＿＿＿だからね。

2） A：きのうの飲み屋、料理がまずかったね。
　　B：まあ、＿＿＿＿が＿＿＿＿だからね。

3）A：急な出張なんですが、飛行機が取れなくて。
　　B：まあ、_____が_____だからね。

4）A：このアパート、家賃が安いね。
　　B：まあ、_____が_____だからね。

| 天気　　時期　　値段　　場所　　例）時間 |

ビジネスコラム

おじぎ ／ ていねいな気持ちは何度？

　あいさつをする時に大切なのは「おじぎ」です。おじぎをして、相手に対するていねいな気持ちを表します。おじぎは背中を伸ばして、1・2・3のリズムで腰から上を曲げます。1で相手を見て、2で腰から上を曲げて、3で体を起こします。2の間は相手を見ないで下を見ます。相手を見ながらおじぎをするのは、きれいなおじぎではありません。曲げる角度は場面によって違います。では、どんな時に、曲げる角度を何度にすればいいのでしょうか。

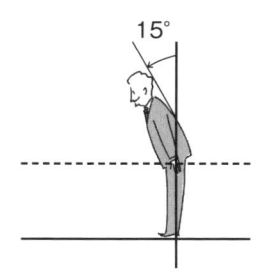

15°	30°	45°
廊下で擦れ違う時	訪問する時	お礼を言う時・あやまる時
出社の時・退社の時	客が来た時・帰る時	大事なお願いがある時
		結婚式・お葬式の時

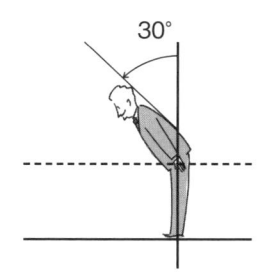

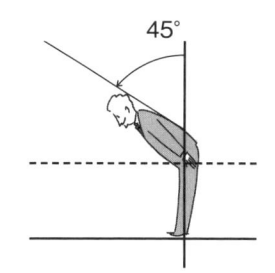

3 電話をかける・受ける

外国語で電話をかけるのは、顔が見えないので難しいものです。この課では、相手に失礼にならないように、電話でよく使う言い方や話す順番を勉強します。

クイズ 15

CDを聞いて、名前と電話番号を書いてください。

失礼ですが、どちら様ですか。

さくら貿易の山崎と申します。

例1) ＿＿さくら貿易＿＿の＿＿山崎＿＿と申します。
1) ＿＿＿＿＿＿＿の＿＿＿＿＿と申します。
2) ＿＿＿＿＿＿＿の＿＿＿＿＿と申します。
3) ＿＿＿＿＿＿＿の＿＿＿＿＿と申します。

恐れ入りますが、そちら様のお電話番号を教えていただけますか。

052－558－6473です。

例2) ＿＿052－558－6473＿＿です。
4) ＿＿＿＿＿＿＿＿＿＿＿です。
5) ＿＿＿＿＿＿＿＿＿＿＿です。
6) ＿＿＿＿＿＿＿＿＿＿＿です。

表現

●電話をかける
相手を呼び出す
・〔相手の名前〕さん／様　（は）おいでになりますか。
　　　　　　　　　　　　（は）いらっしゃいますか。
　　　　　　　　　　　　（を）お願いできますか。

伝言を頼む
・ご伝言をお願いできますか。
・〜とお伝えください。
　例）明日２時の約束を３時に変更していただきたいとお伝えください。

伝言を頼まない時の対応を伝える
・後ほどかけ直します。
・電話があったことをお伝えください。

電話を切る
・失礼いたします。

●電話を受ける

不在を伝える

- ～ておりますが。　　例）ただいま席をはずしておりますが。
- ～中ですが。　　　例）ただいま外出中でございますが。

伝言を受ける

- 何か伝言がございましたら、お伝えいたしますが。

▶参考◀　・よろしければ、ご用件を承りますが。

- 復唱いたします。　／復唱させていただきます。
- 繰り返します。　　／繰り返させていただきます。
- ～ということでよろしいでしょうか。
　　　　例）2時のお約束を3時に変更なさりたいということでよろしいでしょうか。

- 〔不在の人の名前〕が戻りましたら、申し伝えます。

相手の電話番号を聞く

- 念のためお電話番号をいただけますでしょうか。

電話を受けた者の名前を伝える

- 私、〔名前〕と申します。

電話会話のチャート

電話を受ける | **電話をかける**

〔社名〕でございます。

→ 私、〔社名〕の〔名前〕と申します。

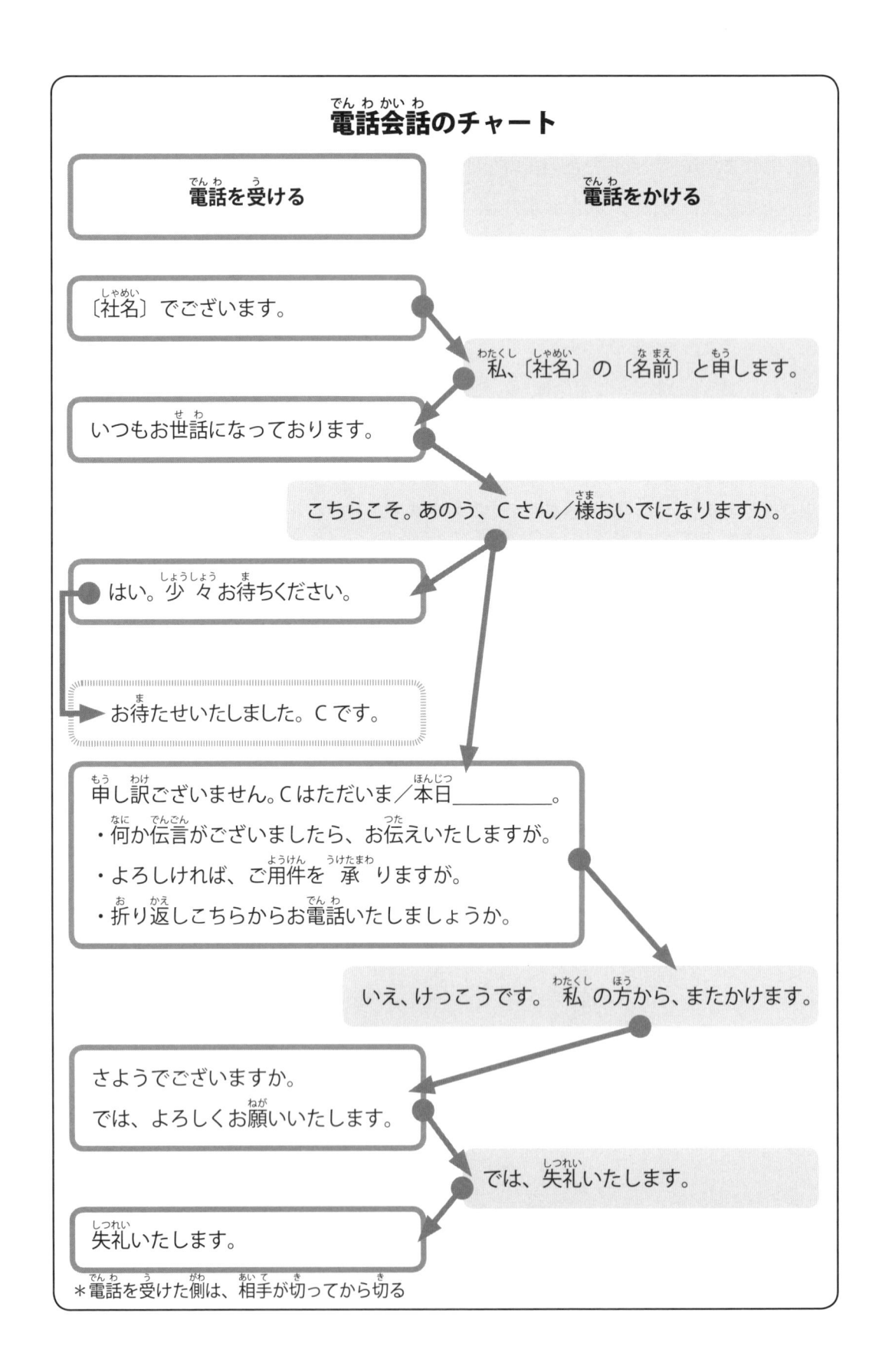

いつもお世話になっております。

→ こちらこそ。あのう、Cさん／様おいでになりますか。

はい。少々お待ちください。

お待たせいたしました。Cです。

申し訳ございません。Cはただいま／本日＿＿＿＿＿＿＿。
・何か伝言がございましたら、お伝えいたしますが。
・よろしければ、ご用件を承りますが。
・折り返しこちらからお電話いたしましょうか。

→ いえ、けっこうです。私の方から、またかけます。

さようでございますか。
では、よろしくお願いいたします。

→ では、失礼いたします。

失礼いたします。

＊電話を受けた側は、相手が切ってから切る

ことば

談話1
- ふざい　不在
- ただいま
- せきを はずす　席をはずす
- でんごん　伝言
- かしこまりました
- がいしゅつ　外出
- 〜ちゅう　〜中
- のちほど　後ほど
- でんわに でる　電話に出る
- しょくじに でる　食事に出る
- でんわが ある　電話がある

談話2
- へんこう（する）　変更（する）
- しょうち（する）　承知（する）
- パンフレット
- 〜ぶ　〜部
- せんじつ　先日
- けん　件
- みつもり　見積もり
- しきゅう　至急
- おりかえし　折り返し

談話3
- かくにん（する）　確認（する）
- ねんのため　念のため
- ふくしょう（する）　復唱（する）
- くりかえす　繰り返す

談話4
- あいて　相手
- しゃめい　社名
- ききかえす　聞き返す
- しつれいしました　失礼しました

会話1
- でんごんを うける　伝言を受ける

会話2
- しょうしょう　少々

練習1
- うちあわせ　打ち合わせ
- ほうこく（する）　報告（する）
- サンプル
- しょうひん　商品
- にゅうか（する）　入荷（する）
- にちじ　日時

練習2
- らいきゃく　来客

談話

1 不在を伝える 16

A：私、さくら貿易の山崎と申しますが、課長の田中様　①おいでになりますか　。
B：申し訳ございません。田中はただいま　②席をはずしております　が。
A：では、③ご伝言をお願いできますか　。
B：はい、かしこまりました。

例）①おいでになりますか　②席をはずしております
　　③ご伝言をお願いできますか

1）①いらっしゃいますか　②外出中でございます
　　③また後ほどかけ直します

2）①おいでになりますか　②ほかの電話に出ております
　　③恐れ入りますが、お電話をいただけないでしょうか

3）①お願いできますか　②食事に出ております
　　③電話があったことをお伝えください

2 伝言を頼む 17

A：何か伝言がございましたら、お伝えいたしますが。
B：それでは、　明日2時のお約束を3時に変更していただきたい　とお伝えください。
A：承知いたしました。

例）明日2時のお約束を3時に変更していただきたい

1）明日10時に弊社へいらっしゃっていただきたい
2）御社の新製品のパンフレットを50部お持ちいただきたい
3）先日の件の見積もりを至急送っていただきたい
4）折り返しお電話をいただきたい

3　伝言を確認する　🔘18

```
A：念のため　①復唱いたします　。
　　②明日2時のお約束を3時に変更なさりたい　ということでよろしいでしょうか。
B：はい、そうです。
```

例）①復唱いたします　　　②明日2時のお約束を3時に変更なさりたい
1）①復唱いたします　　　②明日10時に御社に伺う
2）①繰り返します　　　　②弊社の新製品のパンフレットを50部お持ちする
3）①繰り返します　　　　②お見積もりを至急お送りする
4）①復唱いたします　　　②折り返しお電話をさしあげる

4　相手の社名や名前を聞き返す　🔘19

```
A：はい、ABCカンパニーでございます。
B：私、さくら貿易の山崎と申しますが…。
A：申し訳ございません。①どちらの山崎様でいらっしゃいますか　。
B：②さくら貿易　です。
A：失礼いたしました。
```

例）①どちらの山崎様でいらっしゃいますか　　　②さくら貿易
1）①もう一度お名前をお願いできますか　　　　②さくら貿易の山崎
2）①もう一度おっしゃっていただけますか　　　②さくら貿易の山崎
3）①さくら貿易のどちら様でいらっしゃいますか　②山崎

会話

1 伝言を受ける 20

オリガ：ＡＢＣカンパニー
山崎：さくら貿易

オリガ　　はい、ＡＢＣカンパニーでございます。
山崎　　　さくら貿易の山崎でございます。
オリガ　　いつもお世話になっております。
山崎　　　こちらこそ、お世話になっております。恐れ入りますが、課長の田中様はいらっしゃいますか。
オリガ　　申し訳ございません。田中はただいま会議中でございます。何か伝言がございましたら、お伝えいたしますが。
山崎　　　それでは、お願いできますか。
オリガ　　はい、どうぞ。
山崎　　　明日午前10時のお約束をあさってに変更していただきたいとお伝えいただけますでしょうか。
オリガ　　承知いたしました。復唱させていただきます。明日午前10時のお約束をあさっての10時に変更なさりたいということでよろしいでしょうか。
山崎　　　はい。
オリガ　　では、田中が戻りましたら、申し伝えます。念のためそちらのお電話番号をいただけますでしょうか。

山崎	03 － 1234 － 5678 です。
オリガ	03 － 1234 － 5678、さくら貿易の山崎様ですね。
山崎	はい、そうです。
オリガ	私、オリガと申します。
山崎	では、よろしくお願いいたします。
オリガ	かしこまりました。
山崎	では、失礼いたします。

2　わかりにくい名前を聞く　㉑

イー：東京商事
江藤：第一製鉄

イー	東京商事でございます。
江藤	第一製鉄の江藤でございます。部長の吉田様いらっしゃいますか。
イー	申し訳ございません。お名前をもう一度おっしゃっていただけますでしょうか。
江藤	第一製鉄の江藤です。
イー	第一製鉄の伊藤様でいらっしゃいますね。
江藤	いえ、伊藤じゃなくて、江藤。えんぴつの「え」です。
イー	失礼いたしました。第一製鉄の江藤様でいらっしゃいますね。少々お待ちください。

ロールプレイ

1 **A：**
社名：さくら貿易　電話番号：03 − 1234 − 5678
ABCカンパニーの木村さんに電話をして、明日午後2時に来てもらいたいと伝えてください。木村さんがいなければ、伝言を頼んでください。

B：
社名：ABCカンパニー
上司の木村主任は、今、外出中です。
木村主任に電話がかかってきたら、伝言を聞いて内容をメモしてください。

※　P．46にあるロールカードでも練習してみましょう。

★電話メモの書き方

(例)

```
木村主任(きむらしゅにん)


さくら貿易(ぼうえき)のA様(さま)より
お電話(でんわ)（がありました）。
明日(あす)、午後(ごご)2時(じ)にさくら貿
易(ぼうえき)へ来てくださいとの
こと（です）。
 A様(さま)の電話番号(でんわばんごう)
 03－1234－5678
          10/3  10：15
                   B受(うけ)
```

← 誰(だれ)への電話(でんわ)か

← どこの誰(だれ)からの電話(でんわ)か

← 伝言(でんごん)の内容(ないよう)

← 相手(あいて)の電話番号(でんわばんごう)

← 電話(でんわ)を受(う)けた日(ひ)と時間(じかん)

← 電話(でんわ)を受(う)けた人(ひと)の名前(なまえ)

3 電話をかける・受ける

ロールカード

A …電話をかける人　　　　　　　　**B** …電話を受ける人

A①
社名…ＪＴＢ
電話番号…03－5217－0043
・サンライズコンピューターの川口部長に電話をして、来週水曜日の会議の時間が2時から3時に変更になったと伝えてください。

B①
社名…サンライズコンピューター
・川口部長は、出張で明日までいません。

A②
社名…富士通
電話番号…03－4761－9853
ファクス番号…03－4761－9855
・ケンコー食品の中村さんに電話をして、商品カタログをファクスで送ってもらいたいと伝えてください。

B②
社名…ケンコー食品
・中村さんは、今、会議で席をはずしています。

A③
社名…トヨタ自動車
電話番号…045－1296－3020
・東京商事の高橋さんに電話をして、明日あなたと山下部長が11時ごろ東京商事へ行くと伝えてください。

B③
社名…東京商事
・高橋さんは、今日は会社を休んでいます。

練習

1 〜たら、お／ご〜いたします。

AさんはBさんにていねいに言ってください。

例)

（打ち合わせが終わる）　→　（報告する）

A：　打ち合わせが終わりまし　たら、　ご報告いたします　。
B：では、よろしく。

1) （工場からサンプルが届く）　→　（すぐ送る）

2) （このメールを打ち終わる）　→　（そちらを手伝う）

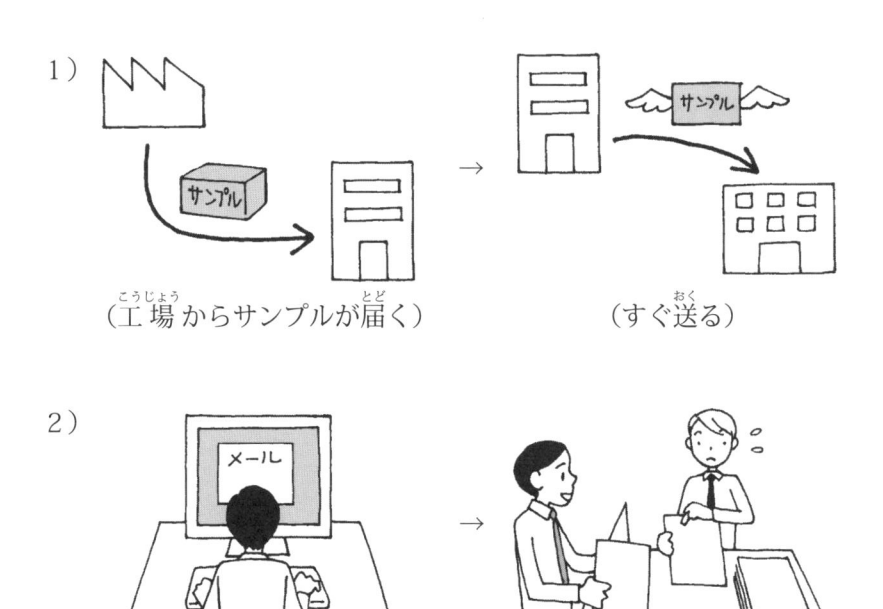

3)

（商品が入荷する） → （連絡する）

4)

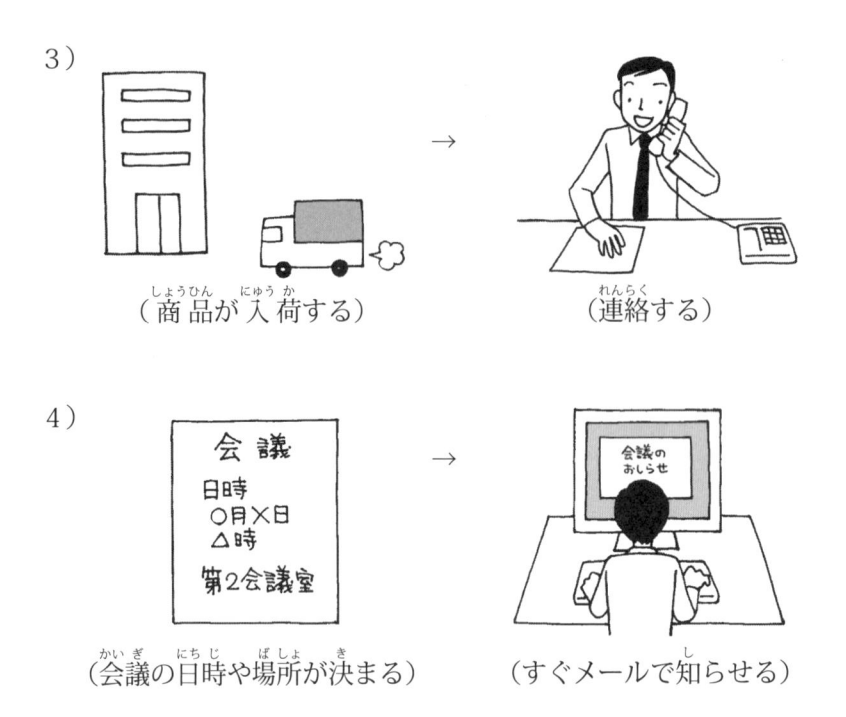

（会議の日時や場所が決まる） → （すぐメールで知らせる）

2　ただいま〜中でございますが…。

川田さんは電話に出られません。電話を受けたBさんはAさんに言ってください。

例）

A：恐れ入りますが、川田様はいらっしゃいますか。
B：申し訳ありません。
　　川田はただいま　外出　中でございますが…。

（外出）

1) （出張）

2) （来客）

3) （打ち合わせ）

4) （電話）

3 〜ていただけますでしょうか。

AさんはBさんにていねいに頼んでください。

例) A：申し訳ございません。お名前をもう一度教えていただけますでしょうか。
　　B：チョンです。

（お名前をもう一度教える）

1) A：恐れ入りますが、＿＿＿＿＿＿＿＿＿＿＿＿＿＿＿。
　　B：はい、わかりました。

（ここにお名前を書く）

2) A：申し訳ございませんが、＿＿＿＿＿＿＿＿＿＿＿＿。
　　B：わかりました。では、3時にお待ちしております。

（お約束のお時間を2時から3時にする）

3）A：恐れ入りますが、＿＿＿＿＿＿＿＿＿＿＿＿＿＿＿＿。
　　B：わかりました。

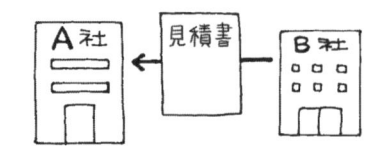

（今日中に見積もりを送る）

4）A：申し訳ございませんが、＿＿＿＿＿＿＿＿＿＿＿＿＿＿。
　　B：どうぞ。

（何か書くものを貸す）

ビジネスコラム

電話のルール　／　いつもお世話になっております

　ほかの会社の人と電話で話をする時に、「いつもお世話になっております」とあいさつをしますが、このあいさつは、初めて話す会社の人や取引のない会社の人に対しても使います。どうしてでしょうか。それは、自分はその会社のことを知らなくても、社内の誰かがどこかで、その会社の人にお世話になっているかもしれないと考えるからです。そのような謙虚な気持ちを込めて、「いつもお世話になっております」とあいさつをするのです。では、「いつもお世話になっております」と言われたら何と言いますか。「こちらこそ、いつもお世話になっております」と言います。

4 注意をする・注意を受ける

日本で仕事をする場合、自分の国と習慣ややり方が違って上司から注意を受けることもあります。その時、どんな態度でどのように受け答えをしたらいいかを勉強します。

クイズ

1) タクシー

新入社員のダニーさんは、お客様と、上司と一緒にタクシーに乗ります。
誰がどの席に座ったらいいでしょうか。

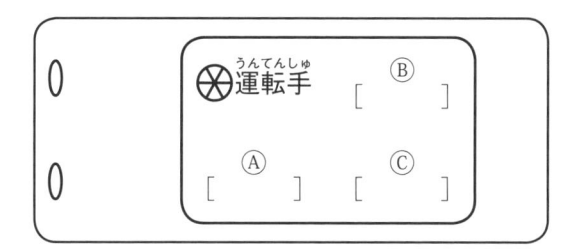

2) エレベーター

新入社員のダニーさんは、エレベーターの中で先輩と、課長と、社長と一緒になりました。誰がどこに乗ったらいいでしょうか。

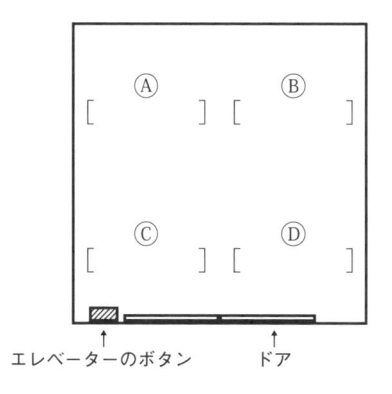

表現

注意をする
- ～ほうがいいですよ。　　　例）お客様と話す時、足を組まないほうがいいですよ。
- ～んじゃないかな。／～んじゃないかと思うんですが。
　　　　　　　　　　　　　例）髪の毛が長すぎるんじゃないかな。
- ～と思うけど。　　　　　　例）営業には向かないと思うけど。

苦情を言う
- ～ようなんですが…。　　　例）請求書がまだ届いていないようなんですが。

あやまる
- 申し訳ございません。／申し訳ございませんでした。
- 今後／これから　気をつけます。

注意をしてくれるよう頼む
- 何かお気づきの点がありましたら、おっしゃってください。

ことば

談話1
おじぎ
ふかい 深い
おきゃくさま お客様
あしをくむ 足を組む
じみ 地味

談話2
えんきょくてき 婉曲的
コスト
みなおす 見直す
きづく 気づく
めにつく 目につく
ほうこくしょ 報告書
ちょうさ 調査
けっか 結果
グラフ
ヘアスタイル
むく 向く

談話3
くじょう 苦情
みほん 見本
とどく 届く
せいきゅうしょ 請求書
はっちゅうしょ 発注書
のうひん（する） 納品（する）
さくじつ 昨日

会話1
うなずく
あいづちをうつ あいづちを打つ
ごうにいってはごうにしたがえ 郷に入っては郷に従え
ちゅうこく 忠告

会話2
さくせい 作成

会話3
てはい 手配
まことに 誠に

練習1
ちこく 遅刻
ひょうばん 評判
かいりょう 改良
ふまん 不満
はなしあい 話し合い
けいひ 経費
むだ 無駄
しゅっぴ 出費

練習2
みつもりしょ 見積書
プリンター
せつめいしょ 説明書
おうせつしつ 応接室
はっちゅうひん 発注品
かたばん 型番

練習3　さ⌈くげん（する）削減（する）
　　　　　ふ⌈きゅう（する）　普及（する）
　　　　　こ⌈うりつ　効率
　　　　　な⌈っとく（する）　納得（する）
　　　　　ざ⌈んぎょう　残業
　　　　　ゆ⌈うせんじゅ⌉んい　優先順位
　　　　　こ⌈うこく⌉ひ　広告費
　　　　　だ⌈いだいてきに　大々的に
　　　　　せ⌈んでん（する）　宣伝（する）
　　　　　ぐ⌈たいてき　具体的
　　　　　す⌈うじ　数字
　　　　　し⌈め⌉す　示す

談話

1 注意をする・あやまる 🎧22

> A：ダニーさん、ちょっといいですか。
> B：はい、何でしょうか。
> A：①おじぎをする 時、②もう少し深くした ほうがいいですよ。
> B：わかりました。今後気をつけます。

例）　①おじぎをする　　　　　②もう少し深くした
1）　①お客様と話す　　　　　②足を組まない
2）　①他社を訪問する　　　　②地味なネクタイをしめて行った
3）　①お客様に電話をかける　②「もしもし」と言わない

2 婉曲的に注意をする 🎧23

> A：森山君、①この企画、コストが高すぎる んじゃないかな。
> 　　②見直す必要がある と思うけど。
> B：わかりました。またお気づきの点がありましたら、おっしゃってください。

例）　①この企画、コストが高すぎる　　　　②見直す必要がある
1）　①その靴、ちょっと汚い　　　　　　　②お客様の目につく
2）　①この報告書、見にくい　　　　　　　②調査結果をグラフにしたら良くなる
3）　①そのヘアスタイル、ちょっと長すぎる　②営業には向かない

3　他社の人に苦情を言う・あやまる　㉔

A：①先日お願いした商品見本がまだ届いていない　ようなんですが…。
B：大変申し訳ございません。至急　②お届けいたします　。

◆②＿＿＿に合う形に変えてください。

例）①先日お願いした商品見本がまだ届いていない
　　②届ける
1）①お願いした請求書がまだ届いていない
　　②確認して電話する
2）①発注書と違う商品が納品された
　　②取り替える
3）①昨日までにとお約束したお返事がいただけていない
　　②担当の者から連絡する

会話

1 注意を受ける―あいづち― 25

〈社内で〉

課長　ダニーさん、お客様と話す時なんだけど…。
ダニー　何でしょうか。
課長　相手の方が話していらっしゃる時、ちょっとうなずいたり、「はい」とか「ああ、そうなんですか」とか、あいづちを打ったほうがいいですよ。
ダニー　あいづち？　どうしてですか。
課長　そのほうが、相手の方が話しやすいんですよ。
ダニー　そうですか。わたしの国とは違うんですね。
課長　そう。でも、「郷に入っては郷に従え」と言うでしょ。
ダニー　ああ、そうですね。わかりました。これから気をつけます。ご忠告ありがとうございました。

2　アドバイスを受ける―書類作成― 26

〈社内で〉

部長　チンさん、ちょっと。
チン　はい、何でしょうか。
部長　さっき作ってくれた資料なんだけど、この表、ちょっと小さいんじゃないかな。もう少し大きくして真ん中に持って来れば見やすくなると思うけど。
チン　わかりました。では、もう一度やってみます。またお気づきの点があったら、言ってください。

3　苦情を受ける―サンプルの手配― 27

イー：東京商事
チン：オリエンタル商事

イー　私、東京商事のイーと申しますが、チンさんをお願いします。
チン　あ、私、チンでございます。
イー　先日お願いしたサンプルの件ですが、まだ届いていないようなんですが…。
チン　申し訳ございません。至急お調べいたします。
イー　では、お願いします。
チン　はい。誠に申し訳ございませんでした。

ロールプレイ

1　A：後輩のBさんと一緒にX社を訪問しました。もうすぐX社の人が来ます。Bさんに直したほうがいい点を注意してください。

B：先輩のAさんと一緒にX社を訪問しました。Aさんから注意を受けます。
あやまってください。なぜだめなのかわからない場合は、Aさんに理由を聞いてください。

2 **A：**
（X社社員）
Y社のBさんが送ってきた請求書に、金額の間違いがありました。
Bさんに電話をかけて、苦情を言ってください。

B：
（Y社社員）
X社のAさんから電話がかかってきます。
Aさんの話を聞いて、対応してください。

練習

1 ～(の)必要がある

Aさん(部下)とBさん(上司)が会社の問題について話しています。BさんはAさんの話を聞いて、意見を言ってください。

例)
A: この企画はコストが高すぎますね。
B: そうですね。見直す必要がありますね。
（見直す）

1)
A: C君、このごろ遅刻が多いですね。 
B: そうですね。_____。
（注意する）

2)
A: この新製品はあまり評判が良くないようですよ。 
B: そうですか。_____。
（改良）

3)
A: このプロジェクトに不満を持っている人が多いですよ。 
B: そうですか。_____。
（話し合い）

4 注意をする・注意を受ける

63

4） 最近経費が増えていますね。

そうですね。＿＿＿＿＿＿＿＿＿＿。
（無駄な出費をなくす）

2 お／ご〜いたします。

BさんはAさんの話を聞いて、ていねいに答えてください。

例） A：先日お願いした見積書がまだ届いていないようなんですが…。
　　 B：申し訳ありません。　至急お届けいたします　。

（至急届ける）

1） A：会議の日にちが決まったら、知らせてください。
　　 B：わかりました。＿＿＿＿＿＿＿＿＿＿＿＿＿＿。

（すぐ連絡する）

2） A：今日、御社からプリンターが届いたんですが、説明書が入っていないようなんですが…。
　　 B：申し訳ありません。＿＿＿＿＿＿＿＿＿＿＿＿＿＿。

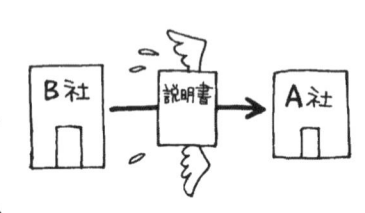

（至急送る）

3) A：B君、受付からの連絡で、X社の吉田部長が見えたようです。

B：わかりました。＿＿＿＿＿＿＿＿＿＿＿＿＿。

（すぐ応接室に案内する）

4) A：今日御社から発注品が届いたのですが、型番が違っているようです。

B：申し訳ありません。＿＿＿＿＿＿＿＿＿＿＿＿＿。

（すぐ取り替える）

3 〜ば、〜

AさんはBさんに言ってください。内容に合うものをa〜dから選び、＿＿＿に合う形に変えてください。

例) A：＿このグラフを真ん中に持って来れ＿ば、見やすくなると思いますよ。

B：そうですね。

（このグラフを真ん中に持って来る）

1) A：＿＿＿＿＿＿＿＿＿＿＿＿＿＿＿＿ば、経費が削減できると思いますよ。

B：そうですね。

2) A：＿＿＿＿＿＿＿＿＿＿＿＿＿＿＿＿ば、普及していくと思いますよ。

B：そうですね。

3) A：＿＿＿＿＿＿＿＿＿＿＿＿＿＿＿＿ば、仕事の効率が良くなると思いますよ。

B：そうですね。

4) A：＿＿＿＿＿＿＿＿＿＿＿＿＿＿＿＿＿＿ば、相手も納得すると思いますよ。

B：そうですね。

a.

(必要ではない残業を減らす)

b.

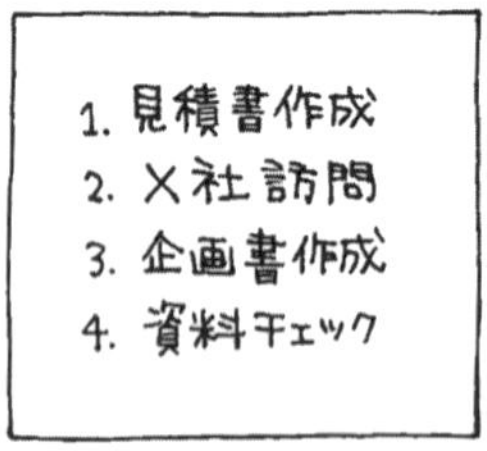

1. 見積書作成
2. ×社訪問
3. 企画書作成
4. 資料チェック

(仕事の優先順位を決める)

c.

(広告費を使って大々的に宣伝する)

d.

(具体的な数字を示す)

ビジネスコラム

ホウレンソウ

　仕事をスムーズにするためには「ホウ・レン・ソウ」が大事だとよく言われています。「ホウレンソウ」と聞くと、野菜の「ほうれんそう」だと思うかもしれませんが、ビジネスでは「報告・連絡・相談」の最初の文字を使った「報・連・相」のことです。報告や連絡、相談をする時には「5W 3H」を考えて伝えることが大事です。「5W」と「3H」は英語の「When・Where・Who・What・Why」「How・How much・How many」の最初の文字から作ったもので、「いつ・どこで・誰が・何を・なぜ」「どのように・いくら・いくつ」のことです。「5W 3H」を上手に使って相手に正確に伝えるようにしましょう。

5 頼む・断る

人にいろいろなことを頼む時には、他社の人、上司、同僚など、それぞれに適した言い方があります。また、頼まれた時に断る言い方も重要です。この課では、相手に嫌な思いをさせたり怒らせたりしない頼み方、断り方を勉強します。

クイズ 28

CDの会話を聞いてください。Bさんの答えとしていちばんいいのは1～3のどれですか。

1）A（上司）：イー君、午後の会議に出席してもらえないかなあ。
　　B（部下）：1.
　　　　　　　2.
　　　　　　　3.

2）A（上司）：イーさん、今度の新製品開発のリーダーをやってくれませんか。
　　B（部下）：1.
　　　　　　　2.
　　　　　　　3.

3）A社社員：明日2時のお約束を3時にしていただけないでしょうか。
　　B社社員：1.
　　　　　　2.
　　　　　　3.

表現

切り出す
- お忙しいところすみません。
- ちょっと／今 よろしいでしょうか。

前置きをする
- すみませんが
- 申し訳ないんですが
- 悪いけど／悪いんですが

▶参考◀ ・恐れ入りますが
　　　　・お手数かけてすみませんが

依頼する
- ～ていただけないでしょうか。
　　例）この資料に目を通していただけないでしょうか。
- ～てくれませんか。
- ～てもらえないかなあ。
- ～てもらえませんか。

断る（理由を述べる）
- ～ところなんです。　　例）今から打ち合わせで出かけるところなんです。
- ～もので…。　　　　　例）あしたは友人の結婚式なもので…。
- ～んですが…。　　　　例）ちょっと難しいんですが…。

相手に合わせた依頼の表現

親しい人 部下	〜て 〜てくれる 〜てもらえる 〜てくれない 〜てもらえない 〜てくれないか　（男）
同僚 部下	〜てほしいんですが 〜てくれませんか 〜てもらえませんか 〜てもらいたいんですが 〜てもらってもいいですか
他社の人 目上の人	〜ていただきたいんですが 〜てくださいませんか 〜ていただけませんか 〜ていただけないでしょうか 〜ていただいてもよろしいですか

5 頼む・断る

ことば

談話1
いらい（する）　依頼（する）
めをとおす　目を通す
いんかん　印鑑
チェック（する）
せんぽう　先方

談話2
うりあげ　売り上げ
データ
さくねんど　昨年度
けっさん　決算
ファイル

談話3
ことわる　断る
やくす　訳す
しめきり
いそぎ　急ぎ

しゅっしゃ（する）
　　出社（する）
ゆうじん　友人
みあい　見合い

談話4
こうしょう　交渉
べんきょう（する）　勉強（する）
まける

談話5
かんゆう　勧誘
おとく　お得
ほけん　保険

プラン
てが はなせない
　　手が離せない

練習1
できあがる

練習2
しゅっきん（する）
　　出勤（する）
にゅうりょく（する）
　　入力（する）
トラブル
けんさ　検査
クレーム
さぼる

練習3
しじ　指示
といあわせ　問い合わせ
でんわが はいる　電話が入る
へんしん（する）　返信（する）
パワーポイント

談話

1 上司に依頼する 29

A：部長、①お忙しいところすみません。
B：はい、何ですか。
A：②この資料に目を通していただけないでしょうか。
B：いいですよ。

◆②は＿＿＿に合う形に変えてください。

例) ①お忙しいところすみません　　②この資料に目を通す
1) ①お忙しいところ恐れ入ります　②この書類に印鑑を押す
2) ①ちょっとよろしいでしょうか　②この書類をチェックする
3) ①今よろしいでしょうか　　　　②先日の件で先方の部長に連絡する

2 依頼されたことを確認する 30

A：イーさん、①先月の売り上げデータを部長に渡しておいて。
B：はい。②先月のデータですね。

例) ①先月の売り上げデータ　　　　②先月のデータ
1) ①X社から送られてきた見積もり　②X社の見積もり
2) ①来週の会議の資料　　　　　　②来週の資料
3) ①昨年度の決算ファイル　　　　②昨年度のファイル

5 頼む・断る

3　上司の依頼を断る

〔1〕 🔘31

A：イーさん、すみませんが、ちょっと　①手伝って　くれませんか。
B：すみません、②今から打ち合わせで出かける　ところなんです。後でもよろしいですか。

◆①は＿＿＿に合う形に変えてください。
例）①手伝う　　　　　②今から打ち合わせで出かける
1）①コピーする　　　②社長に呼ばれて、今行く
2）①日本語に訳す　　②今から外出する
3）①資料を作る　　　②今日しめきりの報告書を書いている
4）①英語を教える　　②急ぎの資料を作っている

〔2〕 🔘32

A：イーさん、悪いけど、あしたの土曜日、出社してもらえないかなあ。
B：申し訳ありません。実はあしたは　友人の結婚式な　もので…。

◆＿＿＿に合う形に変えてください。
例）友人の結婚式だ
1）子どもの運動会だ
2）国から母が来る
3）わたしのお見合いだ
4）引っ越しだ

4　値段の交渉をする　㉝

A：この商品、①もう少し安くして　もらえませんか。
B：これ以上はちょっと　②難しい　んですが…。

◆＿＿＿に合う形に変えてください。

例）①もう少し安くする　　　②難しい
1）①もうちょっと勉強する　②厳しい
2）①あと少しまける　　　　②無理だ
3）①10万円引く　　　　　　②できそうにない

5　勧誘を断る　㉞

A：お得な保険プランのご紹介なんですが。
B：申し訳ないんですが、①今忙しい　ので…。

例）①今忙しい
1）①あまり興味がない
2）①ほかの保険に入っている
3）①今手が離せない

会話

1　上司に急な依頼をする―書類のチェック― 35

〈社内で〉

オリガ　部長、ちょっとよろしいでしょうか。
部長　何ですか。
オリガ　東京商事へ出す企画書なんですが、目を通していただけないでしょうか。
部長　いいですよ。いつまで？
オリガ　実は今日のお昼までにお願いしたいんです。
部長　ずいぶん急だね。
オリガ　申し訳ありません。先方に急に言われまして…。
部長　そうか…。実は今から出かけるところなんだよ。悪いけど、代わりに田中課長に見てもらってくれる？
オリガ　わかりました。そうします。

2　上司の依頼を断る―資料の作成― 36

〈社内で〉

部長　イーさん、来週の会議の資料を作っておいてくれませんか。
イー　はい。来週の資料ですね。
部長　ええ。それで、悪いんですが、今日中に頼めますか。
イー　今日中ですか。今日はちょっと…。今からMT産業との打ち合わせで出かけるところなんです…。
部長　そうですか…。
イー　明日のお昼まででもよろしいですか。
部長　わかりました。じゃあ、それでお願いします。

ロールプレイ

1 **A：** 来週の水曜日の 14：00〜15：00 に、X社と新製品（どんな新製品かは自分で考えましょう）のテレビ CM について打ち合わせをします。上司のBさんに都合を聞いて、打ち合わせに一緒に出ることを依頼してください。

B： 部下のAさんから依頼されます。
スケジュールを確認して、返事をしてください。

月 会議 13：30〜14：30	木 名古屋出張
火	金
水 S社展示会 12：30〜	

2 A： 部下のBさんに土曜日と日曜日に出社することを依頼してください。

B： 上司から依頼されます。スケジュールを確認して、返事をしてください。受けられない場合は、その理由も伝えてください。

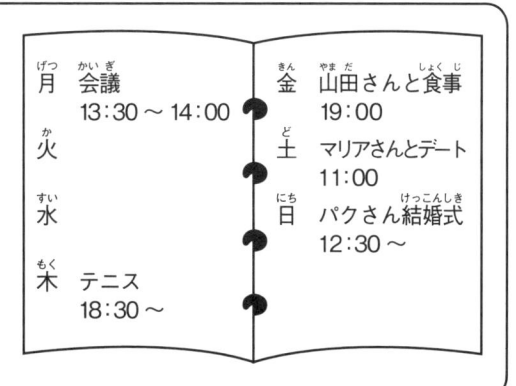

月	会議 13:30～14:00	金	山田さんと食事 19:00
火		土	マリアさんとデート 11:00
水		日	パクさん結婚式 12:30～
木	テニス 18:30～		

5 頼む・断る

練習

1 ～ところです。

BさんはAさんの質問に答えてください。言葉を_____に合う形に変えてください。

例) A：今日、X社へ行くんですか。
　　B：ええ、今から__出かける__ところです。

（出かける）

1) A：X社に送る見積もりはできましたか。
　　B：すみません、今_____ところです。

（作る）

2) A：研修報告書はできあがりましたか。
　　B：ええ、今_____ところです。

（できあがる）

3) A：会議に出ないんですか。
　　B：いえ、今から会議室へ_____ところです。

（行く）

4) A：資料、もう読み終わりましたか。
　　B：いえ、今＿＿＿＿＿＿＿＿＿＿ところです。
　　　　　　　　　　　　　　　　　　（読む）

5) A：X社にもう行ってきたんですか。
　　B：ええ、今＿＿＿＿＿＿＿＿＿＿ところです。
　　　　　　　　　　　　　　　　　　（帰って来る）

2　実は〜んです。

BさんはAさんの質問に対して、適当な答えをa〜dから選び、「〜んです」の形で答えてください。

例）
　　A：あしたの土曜も出勤ですか。
　　B：ええ、実は<u>月曜までにデータを入力しておかなければならないんです</u>。

（月曜までにデータを入力しておかなければなりません）

1) A：何かトラブルがあったんですか。
　　B：ええ、実は＿＿＿＿＿＿＿＿＿＿＿＿＿＿＿＿＿＿。
2) A：今日、課長に怒られていましたね。
　　B：ええ、実は＿＿＿＿＿＿＿＿＿＿＿＿＿＿＿＿＿＿。
3) A：あした、休むんですか。
　　B：ええ、実は＿＿＿＿＿＿＿＿＿＿＿＿＿＿＿＿＿＿。
4) A：朝から忙しそうですね。
　　B：ええ、実は＿＿＿＿＿＿＿＿＿＿＿＿＿＿＿＿＿＿。

5　頼む・断る

a.
（病院へ検査に行きます）

b.
（X社からクレームの電話がかかってきました）

c.
（明日までに見積書を5つ作らなければなりません）

d.
（喫茶店でさぼっているところを見つかりました）

3 ～に～てもらってください。

Bさん（上司）はAさん（部下）の話を聞いて、指示をしてください。

例）A：この企画書に目を通していただけないでしょうか。

B：今から出かけるところなので、<u>　林課長に見てもらってください　</u>。

（林課長・見る）

1）A：うちの製品について問い合わせのお電話が入っているんですが。

B：今から会議が始まるので、＿＿＿＿＿＿＿＿＿＿。

（ジョンさん・電話に出る）

2）A：この資料は英語で書かれていますが。
　　B：じゃ、＿＿＿＿＿＿＿＿＿＿＿＿＿＿＿＿。

（ジョンさん・翻訳する）

3）A：X社の佐々木課長が見えましたが。
　　B：じゃ、すぐに＿＿＿＿＿＿＿＿＿＿＿＿＿＿＿＿。

（鈴木さん・お茶を応接室へ持って行く）

4）A：シカゴのX社から製品について問い合わせのメールが来ています。
　　B：じゃ、すぐに＿＿＿＿＿＿＿＿＿＿＿＿＿＿＿＿。

（ジョンさん・返信する）

5）A：パワーポイントの使い方がわからないんですが。
　　B：高橋さんが詳しいから、＿＿＿＿＿＿＿＿＿＿＿＿＿＿＿＿。

（高橋さん・教える）

ビジネスコラム

新入社員のタイプ ／ 今年は何型？

　日本では毎年、その年の新入社員の特徴を調査し、タイプを発表している機関※があります。
例えば、

◎「デイトレーダー型」
　インターネットを使って自分にとってのいい情報を集めることが上手である。株の情報を調べるように、いつもいい待遇の仕事を探しているので、仕事が見つかったらすぐに会社を辞めてしまう。また情報を集めることは上手だが、情報に流されやすい。

◎「カーリング型」
　氷の上にブラシをかけるように、仕事のしやすい環境を作ってもらえばたくさん働く。しかし、ブラシをかけ続けてもらわないと働かない。

　そのほか、「パンダ型」や「お子様ランチ型」などもあります。昔から会社にいる人は、新入社員の年齢がとても若いと、どのように一緒に仕事をしたらいいかわかりません。そのため新入社員のタイプを確かめてから、つきあい方を決める上司もいるそうです。あなたはどんなタイプの社員でしょうか。

※（財）日本生産性本部「職業のあり方研究会」

6 許可をもらう

仕事では、上司や同僚、時には他社の人にも許可をもらわなければならないことがたくさんあります。どのように言ったら許可をもらいやすいでしょうか。この課では、許可をもらうのにふさわしい言い方を勉強します。

クイズ 37

CDを聞いて書いてください。

リムさんが言います。それをするのはリムさんですか、キャメロンさんですか。

例)	リム								
1)		2)		3)		4)		5)	
6)		7)		8)		9)		10)	

表 現

許可を求める

・～たいんですが、よろしいでしょうか。
　　　例）早退したいんですが、よろしいでしょうか。

・～（さ）せていただきたいんですが、よろしいでしょうか。
　　　例）社用車を使わせていただきたいんですが、よろしいでしょうか。

・～（さ）せていただいてもよろしいでしょうか。
　　　例）手元にないので、後ほどファクスさせていただいてもよろしいでしょうか。

▶参考◀　・～てもよろしいでしょうか。

　　　　・～（さ）せていただけませんか。

ことば

談話1
きょか　許可
もとめる　求める
ずつうがする　頭痛がする
がいしゅつさき　外出先
ちょっき（する）　直帰（する）
〜ごろ
ゆうきゅう　有休

しゃようしゃ　社用車
こうつうのべん　交通の便
しゅっせきしゃ　出席者
ビジネスマナー
しどうしゃ　指導者
さんか（する）　参加（する）
しんじん　新人
こうかてき　効果的
しどうほう　指導法
デザイン

談話2
てもと　手元
ごうどうセミナー　合同セミナー
プロジェクター
ていあん（する）　提案（する）
じかい　次回
ミーティング
ざいこ　在庫

会話1
ねつっぽい　熱っぽい
はかる　測る
〜ど〜ぶ　〜度〜分

会話2
かなり
とおまわり　遠回り

会話3
てんじかい　展示会

練習1
ウイルス
かんせん（する）　感染（する）
しんにゅうしゃいん　新入社員
なきだす　泣き出す
みあたらない　見当たらない

練習2
きそく　規則
きんむじかん　勤務時間
たいしょくねがい　退職願い
ていしゅつ（する）　提出（する）
ゆうきゅうきゅうか　有給休暇
けんこうかんり　健康管理
きゅうよ　給与
しきゅう（する）　支給（する）
ボーナス
きゅうりょう　給料

談話

1 上司に許可を求める

〔1〕 38

A：部長、あのう、①早退したいんですが、よろしいでしょうか。
B：どうしたの？
A：②ちょっと頭痛がするんです。
B：わかりました。

◆＿＿＿に合う形に変えてください。

例) ①早退する　　　　　　　　②ちょっと頭痛がする
1) ①明日11時に出社する　　　②9時からさくら貿易で打ち合わせだ
2) ①明日休む　　　　　　　　②母が入院する
3) ①今日外出先から直帰する　②さくら貿易での打ち合わせが7時ごろまでかかりそうだ
4) ①あしたから1週間有休をもらう　②父が病気なので、帰国したい

〔2〕 39

A：課長、①社用車を使わせて いただきたいんですが、よろしいでしょうか。
B：どうして？
A：②MT産業へ行く んですが、③交通の便が悪い んですよ。
B：そうですか。わかりました。

◆①は____に合う形に変えてください。
例)①社用車を使う　②MT産業へ行く　③交通の便が悪い
1)①6階の会議室を使う　②MT産業の高橋部長が急にいらっしゃる
　　③応接室は予約が入っている
2)①A会議室を使う　②3時から会議がある
　　③出席者が多くてB会議室では入らない
3)①ビジネスマナー指導者研修に参加する　②新人研修の担当になった
　　③効果的な指導法がわからない
4)①明日の営業会議に出席する　②新製品のデザインを決めなければならない
　　③営業課長と意見が合わない

2　他社の人に許可を求める　40

A：①会場までの地図 なんですが、②手元にないので、後ほどファクスさせて いただいてもよろしいでしょうか。
B：ええ、いいですよ。

◆②は____に合う形に変えてください。
例)①会場までの地図　　　　　②手元にないので、後ほどファクスする
1)①合同セミナーの件　　　　②御社のプロジェクターを使う
2)①新企画のご提案　　　　　②企画書を送る
3)①次回のミーティングの日時　②こちらで決める
4)①新製品のサンプルの件　　②在庫がないので、来週送る

会話

1 早退する 41

〈社内で〉

ブラウン　部長、午後早退したいんですが、よろしいでしょうか。
部長　　　どうしたの？
ブラウン　どうも熱っぽくて…。それで、さっき熱を測ったら、38度7分あって。
部長　　　そう。それは大変だ。風邪かね。
ブラウン　ええ、たぶんそうだと思います。
部長　　　そう。じゃ、今日はすぐ帰って休んだほうがいいよ。
ブラウン　ええ、そうします。あしたは大丈夫だと思いますので。申し訳ありません。

2 社用車を借りる 42

〈社内で〉

ダニー　課長、今日会社の車を使わせていただきたいんですが…。
課長　　どうして？
ダニー　MT産業へ行くもので…。
課長　　ああ、あそこは地下鉄だとかなり遠回りになってしまうのよね。
ダニー　そうなんですよ。
課長　　何時から？
ダニー　3時です。
課長　　3時ね。
　　　　（スケジュールを確認する）
　　　　ああ、2時半から部長がお使いになることになっているわね。
ダニー　じゃ、無理ですね。
課長　　そうね。

6 許可をもらう

3　後でファクスで送る　43

チン：オリエンタル商事
木村：ＡＢＣカンパニー

チン　お電話替わりました。チンでございます。
木村　ああ、チンさんですか。明日の展示会の会場ですが、実は場所がよくわからないんですよ。
チン　そうですか。会場までの地図はお持ちですか。
木村　あるんですが、ちょっとわかりにくくて…。それで、詳しい地図をお持ちでしたら送っていただけないでしょうか。
チン　かしこまりました。今、手元にないので、後ほどファクスさせていただいてもよろしいでしょうか。
木村　ええ、いいですよ。よろしくお願いします。
チン　承知しました。では、明日、会場でお待ちしています。

ロールプレイ

1 **A**：
今日は体の調子が悪いので、会社を休みたいです。
上司のBさんに電話をかけて、許可をもらってください。

B：
部下のAさんから電話がかかってきます。
Aさんの話を聞いて、返事をしてください。

2 A：(X社社員)
Y社との合同会議の時にY社のBさんが持っていた資料をコピーしたいと思います。
Bさんにコピーの許可をもらってください。

B：(Y社社員)
X社のAさんから依頼されます。
Aさんの話を聞いて、返事をしてください。

練習

1 〜たら、〜て…。

BさんはAさんの質問に答えてください。

例) A：どうしたんですか。
　　B：　さっき熱を測ったら、38度2分あって　…。
　　A：ええっ、大丈夫ですか。

　　　　　　　　　　　　　　（熱を測る・38度2分ある）

1) A：どうしたんですか。
　　B：＿＿＿＿＿＿＿＿＿＿＿＿＿＿＿…。
　　A：それは大変ですね。

　　　　　　（メールを開く・ウイルスに感染してしまった）

2) A：どうしたんですか。
　　B：＿＿＿＿＿＿＿＿＿＿＿＿＿＿＿…。
　　A：すぐ先方に連絡したほうがいいですよ。

　　　　　（X社から届いた商品を確認する・壊れていた）

3) A：どうしたんですか。
　　B：＿＿＿＿＿＿＿＿＿＿＿＿＿＿＿…。
　　A：それは大変でしたね。

　　　　　　（新入社員に注意をする・泣き出してしまった）

6 許可をもらう

4） A：どうしたんですか。
　　B：_____…。
　　A：えっ、それは大変ですね。

（会議室へ行く・準備した資料が見当たらない）

5） A：どうしたんですか。
　　B：_____…。
　　A：それは大変ですね。

（部長のところへ行く・
ロンドンに転勤するように言われる）

2　～ことになっています。

Aさんは新入社員です。会社の規則がわからないので、先輩のBさんに質問します。
Bさんは自分のメモを見て、_____に合う形で答えてください。

規則

- 勤務時間：午前9時～午後5時半
- 有給休暇：入社1年目　11日
　　　　　　2～4年目　15日
　　　　　　5年目から　20日
- 給与：毎月25日に支給
- ボーナス：年3回　3月（0.5か月）
　　　　　　　　　6月（1.5か月）
　　　　　　　　　12月（2.5か月）
- 退職：退職日の30日前までに「退職願い」を上司に提出
- 健康管理：毎年1回以上の健康診断を受ける

例) A：給料は何日に支給されますか。
　　B：＿毎月25日に支給される＿ことになっています。

1) A：毎朝、何時に出勤しなければなりませんか。
　　B：＿＿＿＿＿＿＿＿＿＿＿＿＿＿＿＿＿ことになっています。

2) A：ボーナスは何月にもらえますか。
　　B：＿＿＿＿＿＿＿＿＿＿＿＿＿＿＿＿＿ことになっています。

3) A：入社1年目の社員はどのぐらい有休が取れますか。
　　B：＿＿＿＿＿＿＿＿＿＿＿＿＿＿＿＿＿ことになっています。

4) A：毎年、健康診断を受けなければなりませんか。
　　B：はい、＿＿＿＿＿＿＿＿＿＿＿＿＿＿＿＿＿ことになっています。

5) A：会社を辞める時は、何日前までに退職願いを出さなければなりませんか。
　　B：＿＿＿＿＿＿＿＿＿＿＿＿＿＿＿＿＿ことになっています。

6 許可をもらう

ビジネスコラム

日本人の労働時間

　日本人が1年間に働く時間は1,800時間ぐらいだと言われています。アメリカと同じぐらいですが、フランスやドイツと比べると400時間ぐらい長いようです。日本のビジネスマンは海外のビジネスマンに「休日より仕事のほうが好き」などと言われることがあります。
　以前は、働きすぎて死んでしまうという「過労死」が社会の大きい問題になったこともあります。しかし、最近では残業をしないで早く帰る「ノー残業デー」を作る企業も多くなり、労働時間は以前より短くなってきているようです。

7 アポイントをとる

仕事で初対面の人に会ったり、ほかの会社を訪問したりする時には、必ず先に電話などでアポイントをとります。この課では、自社の人や他社の人にアポイントをとる方法を勉強します。

クイズ 44

CDの会話を聞いて書いてください。

ダニーさんは、a誰と、bいつ、cどこで会う、d何をしますか。

	a. 誰と	b. いつ	c. どこで会う	d. 何をする
1)				
2)				
3)				

表現

許可を求める

・〜謙譲語（さ）せていただきたいと思いまして。
　　　　例）お目にかからせていただきたいと思いまして。

・お目にかかる機会をいただけないかと思いまして。

・〜（さ）せていただけないでしょうか。
　　　　例）来週後半に変更させていただけないでしょうか。

▶参考◀　・〜ていただけないかと思いまして。

提案する

・〜はいかがでしょうか。
　　　　例）3日はいかがでしょうか。

ことば

談話1
ア⌐ポ¬イントを と⌐る
こ⌐うこくせ¬んりゃく　広告戦略
りょ⌐ひ　旅費
は⌐んばい　販売

談話2
は⌐つばい（する）　発売（する）
ほ⌐んじつ　本日
みょ⌐うご¬にち　明後日

談話3
め⌐んしきが あ¬る　面識がある
さ⌐っそく　早速
わ⌐たくし¬ども　私ども
ち⌐か¬いうち　近いうち
か⌐いせつ　開設
き⌐んじつちゅう　近日中
し⌐んき　新規
じ⌐ぎょう　事業
と⌐り¬ひき　取引
ち⌐かぢか　近々

談話4
こ⌐うはん　後半
き⌐んきゅう　緊急
か⌐いぎが は¬いる　会議が入る
た⌐いちょうを く¬ずす　体調を崩す

会話1
し⌐りあい　知り合い

会話2
ア⌐ポ
どうこう（する）　同行（する）
よ⌐ていが は¬いる　予定が入る
じ⌐かんを と¬る　時間をとる

会話3
か⌐って　勝手

練習1
よ⌐うけん　用件

練習2
あ⌐らため¬る　改める
け⌐っこうです
け⌐んとう（する）　検討（する）
ぼ⌐しゅう　募集

7 アポイントをとる

談話

1 自社の人にアポイントをとる 🔊45

> A：部長、①広告戦略 のことで ②ご相談 があるんですが、
> 　　ちょっとお時間いただけないでしょうか。
> B：③水曜日の午前中 ならいいですよ。
> A：はい。では、よろしくお願いいたします。

◆②は____に合う形に変えてください。

例） ①広告戦略　②相談　③水曜日の午前中
1） ①出張旅費　②相談　③明日の午後
2） ①デザイン　②相談　③来週
3） ①販売時期　②話　　③あさって
4） ①商品在庫　②報告　③金曜日

2 他社の人にアポイントをとる

〔1〕許可を求める 🔊46

> A：このたび、新製品を発売することになりましたので、ぜひ お目にかからせて
> 　　いただきたいと思いまして。
> B：いいですよ。
> A：ありがとうございます。

◆____に合う形に変えてください。*は特別な形の敬語を使います。

例） 会う*
1） ご意見を聞く*　　　　2） 話す
3） 説明する　　　　　　4） 紹介する

〔2〕提案する 47

A：　3日　はいかがでしょうか。
B：いいですよ。では、　3日　ということで、お待ちしております。

例）3日
1）火曜日の午前中　　　2）明日の午後
3）本日3時　　　　　　4）明後日

3　面識のない人にアポイントをとる 48

A：吉田様でいらっしゃいますか。初めてお電話させていただきます。私、ＡＢＣカンパニーの中野様のご紹介でお電話いたしました第一製鉄のブラウンと申します。
B：あ、ブラウン様ですね。お待ちしておりました。
A：ありがとうございます。早速ですが、①　私どもの製品のご紹介　で　②近いうちに　お目にかかる機会をいただけないかと思いまして…。
B：けっこうですよ。

例）①私どもの製品のご紹介　　　②近いうちに
1）①事務所開設のごあいさつ　　②近日中に
2）①新規事業のご案内　　　　　②ご都合のいい時に
3）①コスト削減のプランのご提案　②今週中に
4）①御社との新規お取引のお願い　②近々

4 約束を変更する 49

A：先日お約束しました ①木曜日 の件なんですが、実は、②急に出張することになりまして …。
B：そうですか。
A：誠に申し訳ございませんが、③来週後半 に変更させていただけないでしょうか。
B：わかりました。

◆②は＿＿＿に合う形に変えてください。

例) ① 木曜日　　　　　② 急に出張することになった
　　③ 来週後半
1) ① 今日の午後　　　② 緊急の会議が入ってしまった
　　③ 明日
2) ① 弊社ご訪問　　　② 担当の者が体調を崩してしまった
　　③ 来週
3) ① 今日の打ち合わせ　② 一緒に伺わせていただく上司の都合が悪くなった
　　③ 明後日の午前中

会話

1　知り合いに紹介してもらった人にアポイントをとる　🎧50

ブラウン：第一製鉄
山崎：さくら貿易

受付　　　さくら貿易でございます。
ブラウン　私、第一製鉄のブラウンと申しますが、第2営業部の山崎さんいらっしゃいますか。
受付　　　少々お待ちください。

山崎　　　はい、山崎です。
ブラウン　初めてお電話させていただきます。私、ABCカンパニーの中野様のご紹介でお電話いたしました第一製鉄のブラウンと申します。
山崎　　　あ、第一製鉄のブラウンさんですか。中野部長から伺っていますよ。お電話お待ちしていました。
ブラウン　ありがとうございます。実は私どもの新製品のことでぜひ一度お目にかからせていただきたいと思いまして…。
山崎　　　いいですよ。

ブラウン	ありがとうございます。では、早速ですが、来週の木曜日はいかがでしょうか。
山崎	来週の木曜日ですね。午後1時ではいかがですか。
ブラウン	はい、けっこうです。では、来週の木曜日1時に伺わせていただきますので、よろしくお願いいたします。
山崎	はい、お待ちしております。
ブラウン	では、失礼いたします。
山崎	失礼いたします。

2　上司の都合を聞く　51

〈社内で〉

ブラウン	部長、ちょっとよろしいですか。
部長	何ですか。
ブラウン	来週の木曜日にさくら貿易とアポがとれましたので同行していただきたいんですが。
部長	あっ、ごめん。木曜日は急に予定が入ってしまって…。金曜日なら時間がとれるんだけど。
ブラウン	それでは、金曜の午後でよろしいですか。
部長	いいですよ。
ブラウン	では、先方に変更できるかどうか聞いてみます。
部長	よろしく。

3　訪問の日を変更する　52

ブラウン：第一製鉄
山崎：さくら貿易

ブラウン　第一製鉄のブラウンでございますが、山崎さん、誠に申し訳ございません。実はお約束した木曜日の件なんですが、一緒に伺わせていただく上司の都合が悪くなってしまいまして…。
山崎　　　ああ、そうですか。
ブラウン　それで、金曜日に変更させていただけないでしょうか。
山崎　　　そうですか。では、22日金曜日の1時でいいですか。
ブラウン　けっこうです。勝手なことを申しまして、本当に申し訳ございません。
　　　　　では、よろしくお願いいたします。

ロールプレイ

1　**A：**
来週、X社を訪問するつもりです。上司にも同行してもらいたいと考えています。
上司に同行の依頼をして、来週の都合を聞いてください。

B：
部下のAさんから依頼されます。
スケジュールを確認して、返事をしてください。

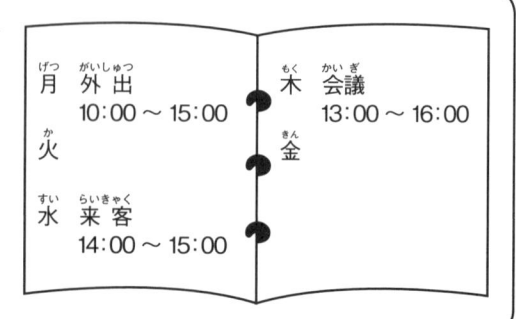

月	外出 10:00～15:00	木	会議 13:00～16:00
火		金	
水	来客 14:00～15:00		

2　**A :**

（X社社員）

上司の都合がいい日にY社のBさんを訪問したいと思います。
Y社に電話をかけて、アポイントをとってください。

上司の予定

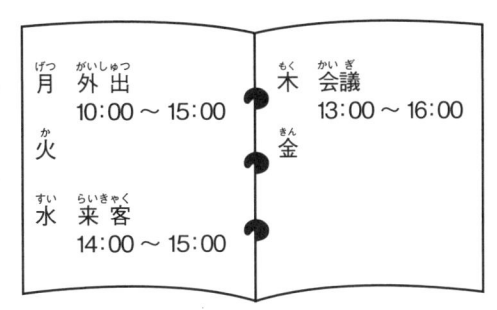

月	外出 10:00～15:00	木	会議 13:00～16:00
火		金	
水	来客 14:00～15:00		

B :

（Y社社員）

X社のAさんから電話がかかってきます。
Aさんの話を聞いて、返事をしてください。

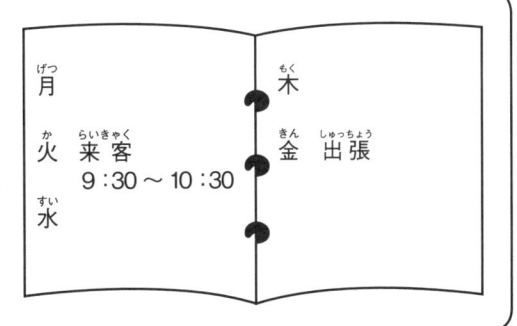

月		木	
火	来客 9:30～10:30	金	出張
水			

7　アポイントをとる

3　A：
(X社社員)
Y社のBさんを水曜日に訪問する予定でしたが、一緒に行く上司の都合が悪くなってしまいました。Y社に電話をかけて、約束を変更してもらってください。

上司の予定

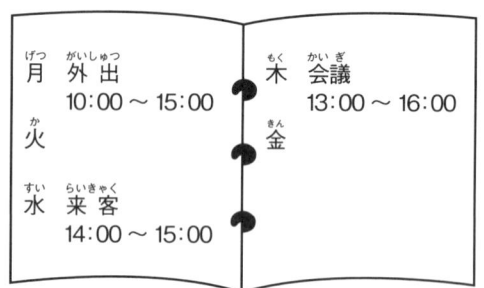

月	外出 10:00〜15:00	木	会議 13:00〜16:00
火		金	
水	来客 14:00〜15:00		

B：
(Y社社員)
X社のAさんから電話がかかってきます。
Aさんの話を聞いて、会話をしてください。

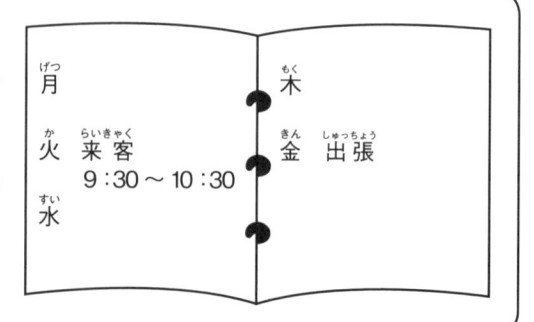

月		木	
火	来客 9:30〜10:30	金	出張
水			

練習

1 ～（さ）せていただけないかと思いまして。

Y社のBさんは、X社のAさんに電話をかけます。BさんはAさんにていねいに許可を求めてください。言葉を_____に合う形に変えてください。

例）

A：どんなご用件でしょうか。
B：実は、<u>新製品のことで一度お目にかからせて</u>いただけないかと思いまして。

（新製品のことで一度お目にかかる）

1)（新しく御社を担当する者と一緒にごあいさつに伺う）

2)（御社の工場を拝見する）

3)（弊社の販売計画をご説明する）

4)（弊社の新製品についてご紹介する）

7 アポイントをとる

2 ～(の)件

X社のAさんは、Y社のBさんに電話をかけます。AさんはBさんに用件を伝えてください。言葉を_____に合う形に変えてください。

例) A：先日お約束しました ___木曜日の___ 件なんですが、急に出張することになりまして…。
　　B：そうですか。では、日を改めましょう。
　　　　　　　　　　　　　　　　　　　　（木曜日）

1) A：昨日お電話で_____件なんですが、もう2、3日検討するお時間をいただけますでしょうか。
　　B：はい、けっこうです。早速、ご検討いただきありがとうございます。（ご提案いただく）

2) A：御社の_____件で、ちょっとお聞きしたいことがあるんですが。
　　B：はい、何でしょうか。
　　　　　　　　　　　　　　　　　　　　（社員募集）

3) A：昨日メールで_____件で、お電話させていただいたんですが、いかがでしょうか。
　　B：ああ、その件ですが…。実は上司が明日まで出張しておりまして、まだ検討させていただいていないんです。
　　　　　　　　　　　　　　　　　　　　（お願いする）

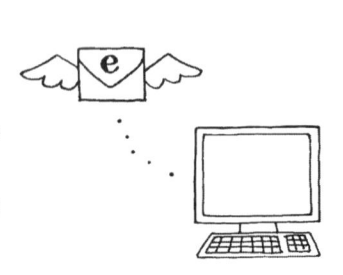

4）A：来月弊社の研修生が御社の工場を＿＿＿＿＿＿
　　　件でお伺いしたいことがありまして…。

　　B：はい、どんなことでしょうか。

　　　　　　　　　　　　（見学させていただく）

5）A：御社との＿＿＿＿＿＿＿＿件で打ち合わせをした
　　　いと思いまして…。

　　B：そうですね。いつごろにいたしましょうか。

　　　　　　　　　　　　（合同セミナー）

ビジネスコラム

飛び込み

　ビジネスで他社を訪問する時、まず、アポイントをとるのが、いちばんていねいなやり方です。しかし、営業の仕事ではアポイントをとらないで突然訪問することがあります。その理由は、なるべく営業のアポイントを受けないようにしている会社があるからです。このようなアポイントのない訪問を、ビジネスでは「飛び込み」と言います。突然知らない会社を訪問するのは、プールの高い台からジャンプをして水の中に飛び込む時の気持ちと似ているからかもしれません。実際に「飛び込み」をしている営業の人は多いそうです。また、営業成績がいい人ほど、たくさん「飛び込み」をしているそうです。あなたの国ではどうでしょうか。

訪問する
ほうもん

他社を訪問した時には、受付でのあいさつや、相手に会った時、帰る時のあいさつが大切です。この課では、相手にいい印象を与えるための訪問のしかたを勉強します。

クイズ

Aさんは他社を訪問して、名刺交換をしました。受け取った名刺はどうしたらいいですか。a～cから適当なものを選んでください。

a. Aさん

b.

c.

表現

受付で取り次ぎを頼む

・私、〔社名〕の〔名前〕と申しますが、〔相手の部署〕の〔相手の名前〕様に
　　　　　　　　　　　　　　　　　　　お取り次ぎいただきたいんですが。
　　　　　　　　　　　　　　　　　　　お目にかかりたいんですが。
　　　　　　　　　　　　　　　　　　　ご連絡いただけますか。
　　　　　　　　　　　　　　　　　　　お約束をいただいているんですが。

　例）私、ABCカンパニーの中野と申しますが、総務部の吉田様にお取り次ぎいただきたいんですが。

・〔時間〕にお約束をいただいております。
　例）11時にお約束をいただいております。

名刺を受け取る

・ちょうだいいたします。
・失礼ですが、お名前は何とお読みするんですか。

辞去する

・今後も今まで同様／今後とも　よろしくお願いいたします。

訪問する側

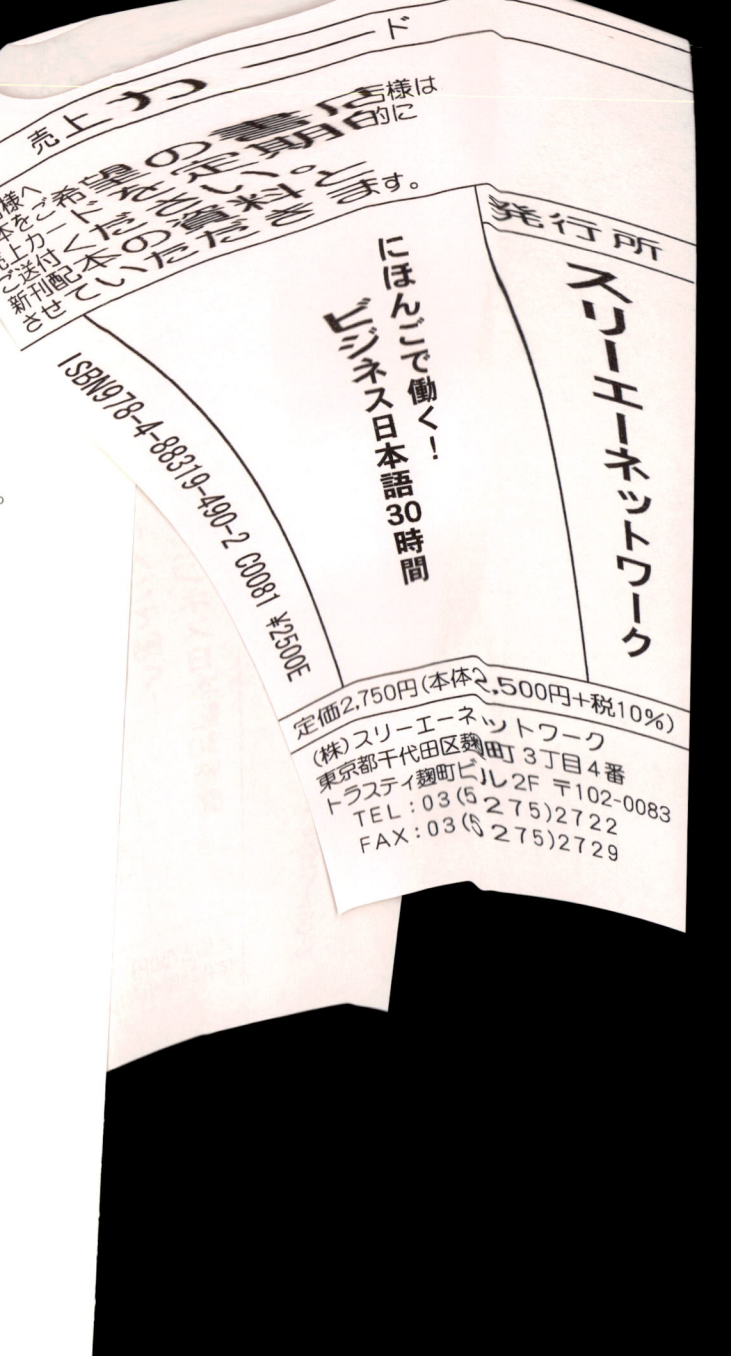

・本日はお忙しいところお時間をとっていただいてありがとうございました。
・すっかり長居をいたしまして申し訳ございません。
・本日はこれで失礼させていただきます。

訪問される側

・本日はわざわざおいでいただきましてありがとうございました。
・お忙しいところお引き止めいたしまして…。

▶参考◀　こちらで失礼させていただきます。

3 辞去する 55

A：本日はお忙しいところ ①お時間をとって いただいてありがとうございました。②今後も今まで同様 、よろしくお願いいたします。
B：こちらこそ、よろしくお願いいたします。

◆①は____に合う形に変えてください。
例) ① お時間をとる　　　　　　②今後も今まで同様
1) ① 私どものためにお時間をさく　②今後とも
2) ① 新製品を見る　　　　　　②どうかご検討のほど
3) ① 私どもの話を聞く　　　　②いろいろお世話になると思いますが
4) ① お時間を作る　　　　　　②これを機に今後ともおつきあいを

会話

1 受付で取り次ぎを頼む 🔘56

〈東京商事受付で〉

受付　いらっしゃいませ。

中野　私、ABCカンパニーの中野と申しますが、総務部の吉田様にお取り次ぎいただきたいんですが。

受付　失礼ですが、お約束がございますか。

中野　ええ、11時にお約束をいただいております。

受付　かしこまりました。それでは、恐れ入りますが、こちらに御社名とお名前をいただけますでしょうか。
では、こちらが来館者証でございますので、お付けになって11階へいらっしゃってください。

中野　はい。

受付　エレベーターホール右手のインターホンで437とお押しいただきますと、吉田が参ります。

中野　437ですね。わかりました。ありがとうございました。

2 応接室で面会する 57

中野：ＡＢＣカンパニー

オリガ・モロゾバ：ＡＢＣカンパニー

吉田：東京商事

中野　今月より御社を担当させていただくことになりましたモロゾバをご紹介させていただきます。

オリガ　はじめまして。モロゾバと申します。（名刺を渡す）精いっぱいがんばりますので、よろしくお願いいたします。

吉田　ちょうだいいたします。私、総務部の吉田と申します。（名刺を渡す）よろしくお願いいたします。モロゾバさん、お国はどちらですか。

オリガ　ロシアです。

吉田　日本語、お上手ですね。

中野　仕事の上でも、全く問題ありません。

オリガ　いえ、日本語の細かいニュアンスまでは、なかなか…。

吉田　いやいや、大したものですよ。これからいろいろおつきあいいただくことになると思いますので、どうぞよろしく。

オリガ　こちらこそ、よろしくお願いいたします。

中野	本日はこれで失礼させていただきます。すっかり長居をいたしまして…。
吉田	いえ、こちらこそ、お忙しいところお引き止めいたしまして…。
オリガ	お時間をとっていただきまして誠にありがとうございました。
吉田	わざわざごあいさつにおいでいただいてありがとうございました。
中野	とんでもないです。今後も今まで同様、どうぞよろしくお願いいたします。
吉田	こちらこそ、よろしく。

ロールプレイ

1 **A:** （X社社員）
Y社の総務部のCさんと会うためにY社を訪問しました。
Y社の受付であいさつをしてください。

B: （Y社社員）
受付にお客さんが来ます。
来館者証を渡して、どこへ行ったらいいか
伝えてください。

Y社	
5F	社長室
4F	総務部
3F	企画部
2F	営業部
1F	受付

8 訪問する

2 **A：**

（X社社員）

あなたは、新しく担当になったY社を訪問しました。Y社のBさんに名刺を渡して、あいさつをしてください。

B：

（Y社社員）

X社から新しくあなたの会社の担当になったAさんが来ました。あいさつをしてください。

練習

1 お／ご～いただく

AさんはBさんにていねいに言ってください。言葉を＿＿＿に合う形にしてください。

例1） A：インターホンで営業部に＿ご連絡いただく＿と吉田が参ります。

　　　B：わかりました。ありがとうございました。

（連絡する）

例2） A：追加注文をしたいのですが、今週中に＿お届けいただけ＿ますか。

　　　B：かしこまりました。

（届ける）

1） A：契約の条件について＿＿＿＿＿＿＿＿＿＿＿＿ばと思います。

　　B：わかりました。では、2、3日中にご連絡いたします。

（検討する）

2） A：ファクスかメールで＿＿＿＿＿＿＿＿＿＿＿＿ばけっこうです。

　　B：わかりました。では、メールで送らせていただきます。

（注文する）

3）A：御社の新製品のパンフレットを_____
　　　_____たいんですが。
　　B：承知いたしました。

（送る）

4）A：恐れ入りますが、こちらで少々_____
　　　_____ますか。
　　B：はい、わかりました。

（待つ）

5）A：合同セミナーのスケジュールをお送りしますので、
　　　_____たいと思いまして。
　　B：はい、わかりました。

（確認する）

2 ～の上では

BさんはAさんの話を聞いて、返事をします。□の中から＿＿＿に合うものを選んで「～の上では」の形を使って答えてください。

例) A：今度の新しい事務所は今より広いんですか。
　　B：＿図面の上では＿20㎡くらい狭いんですが、窓が大きいので、広く感じますよ。

1) A：Bさんは、Cさんと同期だそうですね。
　　B：ええ。入社以来、＿＿＿＿＿＿＿＿＿いいライバルですよ。

2) A：会社に勤めながら、ほかでアルバイトをするのはまずいですか。
　　B：＿＿＿＿＿＿＿＿＿決められていないけれど、やらないほうがいいと思うよ。

3) A：Cさん、株で大損したらしいです。仕事もしないでボーっとしているんですよ。
　　B：＿＿＿＿＿＿＿＿＿理解できるけど、やっぱり仕事はきちんとやらなくてはね。

4) A：売上高は、昨年と比べてだいぶ伸びていますね。
　　B：＿＿＿＿＿＿＿＿＿伸びているんですが、返品が5％くらいあるので、昨年とあまり変わらないと思います。

| 気持ち | 例)図面 | 仕事 | 数字 | 規則 |

3 ～まではなかなか…。
Bさんは Aさんの話を聞いて、＿＿＿に合う言葉を自分で考えて答えてください。

例) A：Bさんはいつも日本語の本を読んでいますね。もう何でも読めるんですか。
　　B：いえ、＿専門書＿ まではなかなか…。

1) A：Bさんの日本語は日本人と変わりませんね。今度のセミナーの講師をお願いしようかな。
　　B：日常会話は大丈夫ですが、まだ＿＿＿＿＿＿＿＿＿＿＿＿＿＿までははなかなか…。

2) A：Bさんはパソコンに強いですね。ホームページも作れますか。
　　B：いえ、わたしの知識では＿＿＿＿＿＿＿＿＿＿＿＿＿＿まではなかなか…。

3) A：毎日日本語で業務報告を書いているから、書く力がずいぶん伸びたね。もうビジネスレターも書けるでしょう。
　　B：いえ、まだ＿＿＿＿＿＿＿＿＿＿＿＿＿＿まではなかなか…。

4) A：もう日本語は不自由ないでしょう。
　　B：いえ、まだ＿＿＿＿＿＿＿＿＿＿＿＿＿＿まではなかなか…。

5) A：日本へ来てもう1年ですね。日本のビジネスのやり方にはもう慣れたでしょう。得意先を任せても大丈夫かな。
　　B：いえ、まだ＿＿＿＿＿＿＿＿＿＿＿＿＿＿まではなかなか…。

ビジネスコラム

訪問のマナー

　他社を訪問する時、どんなことに注意したらいいでしょうか。身だしなみは整っていますか。名刺はありますか。資料は持っていますか。そして、建物に入る時のマナーは大丈夫でしょうか。企業へ行った時でも、上司や友人の家へ行った時でも玄関に入る時は同じです。

　わたしたちは寒い季節にはコートを着ています。建物に入る前にしなければならないことは、コートを脱ぐことです。これは欧米では、「早く中に入れてください」という意味になり、失礼になることがあるそうです。しかし、日本では建物の中に入る前にコートを脱ぐのがマナーです。そして、ていねいな気持ちを表すことになります。ですから、ほとんどの人が寒い冬でもこのマナーを守っています。

巻末

会社で使うことば

敬語表

解答とスクリプト

索引

会社で使うことば

役職名
か￢いちょう　会長
しゃ￢ちょう　社長
ふ￢くしゃ￢ちょう　副社長
せ￢んむ　専務
じょ￢うむ　常務
か￢んさやく　監査役
ほ￢んぶ￢ちょう　本部長
じ￢ぎょうぶ￢ちょう　事業部長
ぶ￢ちょう　部長
じ￢ちょう　次長
か￢ちょう　課長
かかり￢ちょう　係長
しゅ￢にん　主任
しゃ￢いん　社員

部署名
〜ぶ　〜部
〜か　〜課

じ￢ぎょう￢ぶ　事業部
え￢いぎょう￢ぶ　営業部
そ￢うむ￢ぶ　総務部
じ￢んじ￢ぶ　人事部
け￢いり￢ぶ　経理部
か￢いはつ￢ぶ　開発部
き￢かく￢ぶ　企画部

会社の呼び方
ほ￢んしゃ　本社
し￢しゃ　支社

と￢うしゃ　当社
へ￢いしゃ　弊社
お￢んしゃ　御社
き￢しゃ　貴社

しゃ￢ない　社内
しゃ￢がい　社外
じ￢しゃ　自社
た￢しゃ　他社

会社の人間関係
じょ￢うし　上司
ど￢うりょう　同僚
ぶ￢か　部下

せ￢んぱい　先輩
こ￢うはい　後輩

敬語表

特別な形の敬語

動詞	尊敬語（〜さんはV）	謙譲語（私はV）	
		相手に関わる自分の動作	丁重語
いる	いらっしゃいます おいでになります		おります
行く	いらっしゃいます おいでになります		参ります
来る	いらっしゃいます おいでになります おこしになります 見えます		参ります
訪問する		伺います おじゃまします	
質問する		伺います	
聞く		伺います	
する	なさいます		いたします
食べる／飲む	召し上がります		いただきます
見る	ご覧になります	拝見します	
会う		お目にかかります	
あげる		さしあげます	
もらう		いただきます	
くれる	くださいます		
寝る	お休みになります		
死ぬ	お亡くなりになります		
着る	お召しになります		
言う	おっしゃいます	申し上げます	申します
持って行く／持って来る	お持ちになります	お持ちします	
知っている	ご存じです	存じ上げております	存じております

敬語の形

		例
尊敬語	〜れる／〜られる	読まれます／出られます
	お〜になる／ご〜になる	お出かけになります／ご見学になります
謙譲語	お〜する／ご〜する	お持ちします／ご紹介します
	お〜いたす／ご〜いたす	お持ちいたします／ご紹介いたします
	〜（さ）せていただきます	失礼させていただきます

解答とスクリプト

1 紹介する

クイズ

1番…上司をX社部長（他社の人）に紹介する
2番…X社部長（他社の人）を上司に紹介する

談話

2　1）①新製品の企画を担当させていただきます
　　2）①この地区を担当させていただいております
　　3）①市場調査を担当させていただいております
3　1）②いろいろ助けて　　2）②いつも貴重な情報を教えて
　　3）②いいアドバイスをして

練習

1　〔A〕1）A：ご存じですか　　B：存じません
　　　　2）A：なさいますか　　B：いたします
　　　　3）A：いらっしゃいますか／おいでになりますか　　B：おります
　　　　4）A：いらっしゃいますか／おいでになりますか／おこしになりますか／
　　　　　　　お見えになりますか
　　　　　　B：伺います／おじゃまします
　　　　5）A：拝見してもよろしいですか
　　　　　　B：ご覧ください／ご覧になってください

巻末

〔B〕1）A：戻られました　　B：お戻りになりました
　　　2）A：読まれました　　B：お読みになりました
　　　3）A：会われました　　B：お会いになりました
　　　4）A：帰られました　　B：お帰りになりました
　　　5）A：決められました　B：お決めになりました

〔C〕1）おとりします　　2）お調べします　　3）お持ちします
　　　4）ご説明します　　5）お送りします

2　1）待たせていただきます　　2）使わせていただきます
　　3）拝見させていただきます　　4）失礼させていただきます
　　5）着させていただきます

2　あいさつをする

クイズ

1）e　2）d　3）b　4）f　5）c　6）a　7）h　8）g

談話

1　1）①きのうは早退して　　2）①2週間も夏休みをいただいて
　　3）①10日も帰国して
3　1）③アメリカへいらっしゃる／おいでになる
　　2）③部長になられる／おなりになる
　　3）③東京大学に入られた／お入りになった

練習

1　1）お金がかかる　2）大した　3）体がつづく　4）便利な
2　1）天気（が）天気　2）値段（が）値段　3）時期（が）時期
　　4）場所（が）場所

3 電話をかける・受ける

クイズ

1）山田商事・山田　　2）ワールドトラベル・鈴木　　3）青空大学・坂本
4）03 − 4602 − 6890　　5）0475 − 423 − 8168　　6）03 − 3325 − 6099

スクリプト 15

例1）A：失礼ですが、どちら様ですか。
　　　B：さくら貿易の山崎と申します。
1）A：失礼ですが、どちら様ですか。
　　B：山田商事の山田と申します。
2）A：失礼ですが、どちら様ですか。
　　B：ワールドトラベルの鈴木と申します。
3）A：失礼ですが、どちら様ですか。
　　B：青空大学の坂本と申します。

例2）A：恐れ入りますが、そちら様のお電話番号を教えていただけますか。
　　　B：052 − 558 − 6473 です。
4）A：恐れ入りますが、そちら様のお電話番号を教えていただけますか。
　　B：03 − 4602 − 6890 です。
5）A：恐れ入りますが、そちら様のお電話番号を教えていただけますか。
　　B：0475 − 423 − 8168 です。
6）A：恐れ入りますが、そちら様のお電話番号を教えていただけますか。
　　B：03 − 3325 − 6099 です。

練習

1　1) 工場からサンプルが届きましたら、すぐお送りいたします
　　2) このメールを打ち終わりましたら、そちらをお手伝いいたします
　　3) 商品が入荷しましたら、ご連絡いたします
　　4) 会議の日時や場所が決まりましたら、すぐメールでお知らせいたします

3　1) ここにお名前を書いていただけますでしょうか
　　2) お約束のお時間を2時から3時にしていただけますでしょうか
　　3) 今日中に見積もりを送っていただけますでしょうか
　　4) 何か書くものを貸していただけますでしょうか

4　注意をする・注意を受ける

クイズ

1　Ⓐダニー　Ⓑ客　Ⓒ上司
2　Ⓐ社長　Ⓑ課長　Ⓒダニー　Ⓓ先輩

談話

3　1) ②確認してお電話いたします　　2) ②お取り替えいたします
　　3) ②担当の者からご連絡いたします

練習

1　1) 注意する必要がありますね　　2) 改良の必要がありますね
　　3) 話し合いの必要がありますね　　4) 無駄な出費をなくす必要がありますね
2　1) すぐご連絡いたします　　2) 至急お送りいたします
　　3) すぐ応接室にご案内いたします　　4) すぐお取り替えいたします

3　1）a　必要ではない残業を減らせ
　　2）c　広告費を使って大々的に宣伝すれ
　　3）b　仕事の優先順位を決めれ
　　4）d　具体的な数字を示せ

5　頼む・断る

クイズ

1）3　　2）1　　3）2

スクリプト 28

1）A（上司）：イー君、午後の会議に出席してもらえないかなあ。
　　B（部下）：1．忙しいから、無理です。
　　　　　　　 2．午後はA社へ行くから、だめです。
　　　　　　　 3．すみません。午後はA社へ行くことになっておりまして…。

2）A（上司）：イーさん、今度の新製品開発のリーダーをやってくれませんか。
　　B（部下）：1．申し訳ございません。ちょっと私には荷が重くて…。
　　　　　　　 2．ちょっとだめですね。
　　　　　　　 3．すみません。できません。

3）A社社員：明日2時のお約束を3時にしていただけないでしょうか。
　　B社社員：1．無理ですね。予定が入っていて…。
　　　　　　　 2．申し訳ございません。予定が入っていて…。
　　　　　　　 3．変えられません。予定が入っていて…。

談話

1 1）②この書類に印鑑を押して　　2）②この書類をチェックして
　　3）②先日の件で先方の部長に連絡して
3 〔1〕1）①コピーして　　2）①日本語に訳して　　3）①資料を作って
　　　　4）①英語を教えて
　〔2〕1）子供の運動会な　　2）国から母が来る　　3）わたしのお見合いな
　　　　4）引っ越しな
4 1）①もうちょっと勉強して　　②厳しい
　　2）①あと少しまけて　　②無理な
　　3）①10万円引いて　　②できそうにない

練習

1 1）作っている　　2）できあがった　　3）行く　　4）読んでいる
　　5）帰って来た
2 1）b　X社からクレームの電話がかかってきたんです
　　2）d　喫茶店でさぼっているところを見つかったんです
　　3）a　病院へ検査に行くんです
　　4）c　明日までに見積書を5つ作らなければならないんです
3 1）ジョンさんに電話に出てもらってください
　　2）ジョンさんに翻訳してもらってください
　　3）鈴木さんにお茶を応接室へ持って行ってもらってください
　　4）ジョンさんに返信してもらってください
　　5）高橋さんに教えてもらってください

6 許可をもらう

クイズ

例)	リム									
1)	リム	2)	リム	3)	キャメロン	4)	キャメロン	5)	リム
6)	キャメロン	7)	リム	8)	リム	9)	キャメロン	10)	リム

スクリプト 37

例) 資料を見てもいいですか。
1) パソコンを使ってもいいですか。
2) パソコンを使わせていただいてもいいですか。
3) パソコンを使ってもいいですよ。
4) メールを送ってもらってもいいですか。
5) メールを送らせていただいてもいいですか。
6) メールを送っていただいてもよろしいでしょうか。
7) ここに置いてもかまいませんか。
8) ここに置かせていただきたいんですが。
9) ここに置いていただけませんか。
10) ここに置きたいんですが、よろしいでしょうか。

談話

1 〔1〕 1) ①明日 11 時に出社し　②9 時からさくら貿易で打ち合わせな
　　　 2) ①明日休み　②母が入院する
　　　 3) ①今日外出先から直帰し
　　　　　②さくら貿易での打ち合わせが 7 時ごろまでかかりそうな
　　　 4) ①あしたから 1 週間有休をもらい　②父が病気なので帰国したい
　〔2〕 1) ①6 階の会議室を使わせて　2) ①A 会議室を使わせて
　　　 3) ①ビジネスマナー指導者研修に参加させて
　　　 4) ①明日の営業会議に出席させて

2 1) 御社のプロジェクターを使わせて　2) 企画書を送らせて
　3) こちらで決めさせて　4) 在庫がないので、来週送らせて

練習

1 1) メールを開いたら、ウイルスに感染してしまって
　2) X 社から届いた商品を確認したら、壊れていて
　3) 新入社員に注意をしたら、泣き出してしまって
　4) 会議室へ行ったら、準備した資料が見当たらなくて
　5) 部長のところへ行ったら、ロンドンに転勤するように言われて

2 1) 9 時までに出勤する
　2) 3 月と 6 月と 12 月にもらえる
　3) 11 日有休が取れる
　4) 毎年 1 回以上の健康診断を受ける
　5) 30 日前までに退職願いを上司に提出する

7　アポイントをとる

クイズ

	a. 誰と	b. いつ	c. どこで会う	d. 何をする
①	川田	今日の6時	1階のロビー	飲みに行く
②	部長	今日の5時半	第2応接室	話をする
③	江藤部長	明日の3時	部長室	あいさつをする

スクリプト 44

① 川田　：ダニー君！
　ダニー：あ、川田さん。
　川田　：今日、仕事の後飲みに行くんだけど、一緒にどう？
　ダニー：ああ、いいね。行くよ。
　川田　：じゃ、6時に1階のロビーで。
　ダニー：うん、わかった。

② ダニー：部長、今日お時間がありますか。実は、ちょっとお話ししたいことがありまして。
　部長　：ああ、ダニー君。今日ですか。うーん、2時からC社に行くんですが、5時ごろには戻る予定ですから、5時半からでもいいですか。
　ダニー：はい、けっこうです。
　部長　：じゃあ、5時過ぎに一度電話を入れます。それから、第2応接室を取っておいてください。

③ ダニー　　：江藤部長、オリエンタル商事のダニーでございます。一度、御社にごあいさつに伺わせていただきたいと思いまして…。
　江藤部長：ああ、そうですか。いつでもけっこうですよ。
　ダニー　　：恐れ入ります。では、明日の3時ごろはいかがでしょうか。
　江藤部長：けっこうです。では、直接部長室にいらしてください。

巻末

談話

1　1）②ご相談　　2）②ご相談　　3）②お話　　4）②ご報告
2　〔1〕1）ご意見を伺わせて　　2）お話しさせて　　3）ご説明させて
　　　　　4）ご紹介させて
4　1）②緊急の会議が入ってしまいまして
　　2）②担当の者が体調を崩してしまいまして
　　3）②一緒に伺わせていただく上司の都合が悪くなりまして

練習

1　1）新しく御社を担当する者と一緒にごあいさつに伺わせて
　　2）御社の工場を拝見させて
　　3）弊社の販売計画をご説明させて
　　4）弊社の新製品についてご紹介させて
2　1）ご提案いただいた　　2）社員募集の　　3）お願いした
　　4）見学させていただく　　5）合同セミナーの

8　訪問する

クイズ

a

談話

3　1）①私どものためにお時間をさいて　　2）①新製品を見て
　　3）①私どもの話を聞いて　　4）①お時間を作って

練習

1　1）ご検討いただけれ　　2）ご注文いただけれ　　3）お送りいただき
　　4）お待ちいただけ　　5）ご確認いただき

2　1）仕事の上では　　2）規則の上では　　3）気持ちの上では
　　4）数字の上では

3　解答例
　　1）セミナーの講師　　2）ホームページ　　3）ビジネスレター
　　4）お客様との改まった話　　5）複雑なビジネスの交渉

索引

あ | 課
- あいづちをうつ　あいづちを打つ……… 4
- あいて　相手……… 3
- あしをくむ　足を組む……… 4
- アドバイス……… 1
- アポ……… 7
- アポイントをとる……… 7
- あらためる　改める……… 7

い
- いそぎ　急ぎ……… 5
- いちらん　一覧……… 1
- いどう(する)　異動(する)……… 2
- ～いらい　～以来……… 8
- いらい(する)　依頼(する)……… 5
- いんかん　印鑑……… 5
- インターホン……… 8
- インフルエンザ……… 2

う
- ウイルス……… 6
- うち……… 1
- うちあわせ　打ち合わせ……… 3
- うなずく……… 4
- うりあげ　売り上げ……… 5
- うりあげだか　売上高……… 8

え
- えいぎょうぶ　営業部……… 会
- えいてん　栄転……… 2
- えんきょくてき　婉曲的……… 4

お
- おうせつしつ　応接室……… 4
- おおぞん(する)　大損(する)……… 8
- おかげさまで……… 2
- おきゃくさま　お客様……… 4
- おじぎ……… 4
- おそれいります　恐れ入ります……… 1
- おとく　お得……… 5
- おなかにくる……… 2
- おりかえし　折り返し……… 3
- おんしゃ　御社……… 会

か
- ～か　～課……… 会
- かいがい　海外……… 1
- かいぎがはいる　会議が入る……… 7
- がいしゅつ　外出……… 3
- がいしゅつさき　外出先……… 6
- かいせつ　開設……… 7
- かいちょう　会長……… 会
- かいはつぶ　開発部……… 会
- かいりょう　改良……… 4
- かかりちょう　係長……… 会
- かくにん(する)　確認(する)……… 3
- かしこまりました……… 3
- かたばん　型番……… 4
- かちょう　課長……… 会
- かって　勝手……… 7
- かなり……… 6
- かぶ　株……… 8
- からだがつづく　体がつづく……… 2
- かんさやく　監査役……… 会
- かんせん(する)　感染(する)……… 6
- かんゆう　勧誘……… 5

き
- き　機……… 8
- きかく　企画……… 1
- きかくしょ　企画書……… 1
- きかくぶ　企画部……… 会
- ききかえす　聞き返す……… 3
- きこく(する)　帰国(する)……… 2
- きしゃ　貴社……… 会
- きそく　規則……… 6
- きちょう　貴重……… 1
- きちんと……… 8
- きづく　気づく……… 4
- きゅう　急……… 2
- きゅうよ　給与……… 6
- きゅうりょう　給料……… 6
- ぎょうむほうこく　業務報告……… 8
- きょか　許可……… 6
- きをつける　気をつける……… 2

きんきゅう　緊急	7	コスト	4
きんじつちゅう　近日中	7	ことわる　断る	5
きんむじかん　勤務時間	6	このたび	1
く		ごぶさた	2
くじょう　苦情	4	～ごろ	6
ぐたいてき　具体的	4	こんごとも　今後とも	1
グラフ	4	**さ**	
くりかえす　繰り返す	3	ざいこ　在庫	6
クレーム	5	さくげん(する)　削減(する)	4
くわしい　詳しい	1	さくじつ　昨日	4
くわわる　加わる	1	さくせい　作成	4
け		さくねんど　昨年度	5
けいご　敬語	1	さっする　察する	2
けいひ　経費	4	さっそく　早速	7
けいやく　契約	8	さぼる	5
けいりぶ　経理部	会	さんか(する)　参加(する)	6
けっか　結果	4	ざんぎょう　残業	4
けっこうです	7	サンプル	3
けっこんしき　結婚式	2	**し**	
けっさん　決算	5	じかい　次回	6
けん　件	3	じかんをさく　時間をさく	8
けんこうかんり　健康管理	6	じかんをとる　時間をとる	7
けんさ　検査	5	じき　時期	2
けんしゅう　研修	1	しきゅう　至急	3
けんしゅうせい　研修生	1	しきゅう(する)　支給(する)	6
けんとう(する)　検討(する)	7	じきょ(する)　辞去(する)	8
こ		じぎょう　事業	7
ごうかく(する)　合格(する)	1	じぎょうぶ　事業部	会
こうかてき　効果的	6	じぎょうぶちょう　事業部長	会
こうこくせんりゃく　広告戦略	7	しじ　指示	5
こうこくひ　広告費	4	ししゃ　支社	会
こうし　講師	8	じしゃ　自社	会
こうしょう　交渉	5	しじょうちょうさ　市場調査	1
こうたい　交代	1	じちょう　次長	会
こうつうのべん　交通の便	6	じつは　実は	1
ごうどうセミナー　合同セミナー	6	しつれいしました　失礼しました	3
ごうにいってはごうにしたがえ　郷に入っては郷に従え	4	しつれいですが　失礼ですが	1
こうにん　後任	1	しどう(する)　指導(する)	1
こうはい　後輩	会	しどうしゃ　指導者	6
こうはん　後半	7	しどうほう　指導法	6
こうりつ　効率	4	じみ　地味	4
こくない　国内	1	しめきり	5
		しめす　示す	4

巻末

〜しゃ 〜社	1	セミナー	8
しゃいん 社員	会	せわ 世話	1
しゃがい 社外	会	せんじつ 先日	3
しゃちょう 社長	会	せんでん(する) 宣伝(する)	4
しゃない 社内	会	せんぱい 先輩	会
しゃめい 社名	3	せんぽう 先方	5
しゃようしゃ 社用車	6	せんむ 専務	会
しゅっきん(する) 出勤(する)	5	せんもんしょ 専門書	8
しゅっしゃ(する) 出社(する)	5	**そ**	
しゅっせきしゃ 出席者	6	そうたい(する) 早退(する)	2
しゅっちょう(する) 出張(する)	1	そうむぶ 総務部	会
しゅっぴ 出費	4	**た**	
しゅにん 主任	会	だいがくいん 大学院	2
じょうけん 条件	8	たいした 大した	2
じょうし 上司	会	たいしょく(する) 退職(する)	2
しょうしょう 少々	3	たいしょくねがい 退職願い	6
しょうしん 昇進	2	だいだいてきに 大々的に	4
しょうち(する) 承知(する)	3	たいちょうをくずす 体調を崩す	7
しょうひん 商品	3	たしゃ 他社	会
じょうほう 情報	1	たすける 助ける	1
じょうむ 常務	会	ただいま	3
しょくじにでる 食事に出る	3	たまる	2
しょるい 書類	1	たんじょう 誕生	2
しりあい 知り合い	7	たんとう(する) 担当(する)	1
しりょう 資料	1	**ち**	
しんかんせん 新幹線	1	チーム	1
しんき 新規	7	チェック(する)	5
じんじぶ 人事部	会	ちかいうち 近いうち	7
しんじん 新人	6	〜ちかく 〜近く	1
しんせいひん 新製品	1	ちかぢか 近々	7
しんにゅうしゃいん 新入社員	6	ちく 地区	1
す		ちこく 遅刻	4
ずいぶん	2	ちしき 知識	8
すうじ 数字	4	〜ちゅう 〜中	3
スケジュール	1	ちゅうこく 忠告	4
ずつうがする 頭痛がする	6	ちょうさ 調査	4
ずめん 図面	8	ちょっき(する) 直帰(する)	6
せ		**つ**	
せいいっぱい 精いっぱい	1	ついかちゅうもん 追加注文	8
せいきゅうしょ 請求書	4	つきあい	8
せいせき 成績	1	〜づとめ 〜勤め	1
せきをはずす 席をはずす	3	つよい 強い	8
せつめいしょ 説明書	4		

て

ていあん(する) 提案(する)	6
ていしゅつ(する) 提出(する)	6
データ	5
てがはなせない 手が離せない	5
できあがる	5
デザイン	6
てはい 手配	4
てもと 手元	6
てんきん(する) 転勤(する)	1
でんごん 伝言	3
でんごんをうける 伝言を受ける	3
てんじかい 展示会	6
でんわがある 電話がある	3
でんわがはいる 電話が入る	5
でんわにでる 電話に出る	3

と

～ど～ぶ ～度～分	6
といあわせ 問い合わせ	5
どうか	8
どうき 同期	8
どうこう(する) 同行(する)	7
とうしゃ 当社	会
どうよう 同様	1
どうりょう 同僚	会
とおまわり 遠回り	6
とくいさき 得意先	8
とどく 届く	4
とまどう 戸惑う	1
トラブル	5
とりつぎ 取り次ぎ	8
とりつぐ 取り次ぐ	8
とりひき 取引	7
とんでもないです	1

な

ないよう 内容	1
ながいをする 長居をする	8
なきだす 泣き出す	6
なっとく(する) 納得(する)	4
なんとか	2

に

にちじ 日時	3
にちじょうかいわ 日常会話	8
ニュアンス	8
にゅうか(する) 入荷(する)	3
にゅうしゃ(する) 入社(する)	1
にゅうりょくする 入力(する)	5

ね

ねだん 値段	2
ねつっぽい 熱っぽい	6
ねんのため 念のため	3

の

のうひん(する) 納品(する)	4
のちほど 後ほど	3
のびる 伸びる	8
のみや 飲み屋	2

は

はいぞく 配属	1
はかる 測る	6
はっちゅうしょ 発注書	4
はっちゅうひん 発注品	4
はつばい(する) 発売(する)	7
はなしあい 話し合い	4
バリバリやる	2
パワーポイント	5
はんとし 半年	1
はんばい 販売	7
パンフレット	3

ひ

ひきたてる 引き立てる	1
ひきとめる 引き止める	8
ビジネスマナー	6
ビジネスレター	8
ひどいめにあう ひどい目にあう	2
ひとつよろしくたのみます ひとつよろしく頼みます	2
ひょうばん 評判	4

ふ

～ぶ ～部	3
～ぶ ～部	会
ファイル	5
ファクス	1
ぶか 部下	会
ふかい 深い	4
ふきゅう(する) 普及(する)	4
ふくしゃちょう 副社長	会

巻末

ふくしょう(する) 復唱(する)……… 3	みつもりしょ 見積書……… 4
ふざい 不在……… 3	みなおす 見直す……… 4
ぶじ 無事……… 2	みほん 見本……… 4
ふじゆう 不自由……… 8	みょうごにち 明後日……… 7
ぶちょう 部長……… 会	みょうじ 名字……… 1
ふまん 不満……… 4	**む**
プラン……… 5	むく 向く……… 4
プリンター……… 4	むだ 無駄……… 4
プロジェクター……… 6	**め**
プロジェクト……… 1	めいし 名刺……… 1
へ	めいわく 迷惑……… 1
ヘアスタイル……… 4	めにつく 目につく……… 4
へいしゃ 弊社……… 会	めをとおす 目を通す……… 5
べんきょう(する) 勉強(する)……… 5	めんかい(する) 面会(する)……… 8
へんこう(する) 変更(する)……… 3	めんしきがある 面識がある……… 7
へんしん(する) 返信(する)……… 5	**も**
へんぴん 返品……… 8	もうしわけない 申し訳ない……… 1
ほ	もとめる 求める……… 6
ほうこく(する) 報告(する)……… 3	もの 者……… 1
ほうこくしょ 報告書……… 4	**や**
ほうもん(する) 訪問(する)……… 1	やくす 訳す……… 5
ボーっとする……… 8	やちん 家賃……… 2
ボーナス……… 6	やめる 辞める……… 2
ホームページ……… 8	**ゆ**
ほけん 保険……… 5	ゆうきゅう 有休……… 6
ぼしゅう 募集……… 7	ゆうきゅうきゅうか 有給休暇……… 6
ホテルをとる……… 1	ゆうしゅう 優秀……… 1
ほんじつ 本日……… 7	ゆうじん 友人……… 5
ほんしゃ 本社……… 会	ゆうせんじゅんい 優先順位……… 4
ほんぶちょう 本部長……… 会	**よ**
ま	ようけん 用件……… 7
まかせる 任せる……… 8	よさん 予算……… 2
まける……… 5	よていがはいる 予定が入る……… 7
まことに 誠に……… 4	**ら**
まずい……… 8	らいかんしゃしょう 来館者証……… 8
まったく 全く……… 8	らいきゃく 来客……… 3
まる～ねん まる～年……… 2	らいてん 来店……… 2
み	ライバル……… 8
みあい 見合い……… 5	**り**
みあたらない 見当たらない……… 6	りかい(する) 理解(する)……… 8
ミーティング……… 6	りょひ 旅費……… 7
みぎて 右手……… 8	**れ**
みつもり 見積もり……… 3	レポート……… 1

150

わ
わがしゃ　わが社……………………… 1
わざわざ……………………… 8
わたくしども　私ども……………………… 7

著者

宮崎道子
- 元日本経済大学講師
- 元（一財）国際教育振興会日米会話学院日本語研修所所長
- 元インターカルト日本語学校ビジネス日本語研究所所長
- 執筆：『日本語でビジネス会話　初級編』（日米会話学院）
- 共著：『Now You're Talking！ 日本語20時間』（スリーエーネットワーク）、『解いて学ぼう 留学生の就職活動』（同）、『外国人のための英語でわかる　はじめての日本語』（ナツメ社）、『外国人のための英語でわかる　日本語日常会話』（同）
- 監修：『人を動かす！実戦ビジネス日本語会話』（スリーエーネットワーク）、『BJTビジネス日本語能力テスト 聴解・聴読解 実力養成問題集 第2版』（同）、『BJTビジネス日本語能力テスト 読解 実力養成問題集 第2版』（同）

郷司幸子
- 元（一財）国際教育振興会日米会話学院日本語研修所講師
- 元インターカルト日本語学校ビジネス日本語研究所講師
- 執筆：『日本語でビジネス会話　中級編』（日米会話学院）
- 共著：『Now You're Talking！ 日本語20時間』（スリーエーネットワーク）

執筆協力者
坂本舞、佐々木隼人、松倉有紀、田鍋麻由子

翻訳
オフィス　Sunny Place（英語）、徐前（中国語）、鄭在喜（韓国語）

本文イラスト
ますこひかり、中野サトミ

にほんごで働く！ビジネス日本語30時間

2009年3月10日　初版第1刷発行
2024年11月20日　第17刷発行

著　者　宮崎道子　郷司幸子
発行者　藤嵜政子
発　行　株式会社　スリーエーネットワーク
〒102-0083　東京都千代田区麹町3丁目4番
トラスティ麹町ビル2F
電話　営業　03(5275)2722
　　　編集　03(5275)2725
https://www.3anet.co.jp/
印　刷　倉敷印刷株式会社

ISBN978-4-88319-490-2 C0081

落丁・乱丁本はお取替えいたします。
本書の全部または一部を無断で複写複製（コピー）することは著作権法上での例外を除き、禁じられています。

■ 新しいタイプのビジネス日本語教材

タスクで学ぶ
日本語ビジネスメール・ビジネス文書
適切にメッセージを伝える力の養成をめざして

村野節子、向山陽子、山辺真理子 ● 著
B5判　90頁＋別冊41頁　1,540円（税込）　（ISBN978-4-88319-699-9）

ロールプレイで学ぶビジネス日本語
グローバル企業でのキャリア構築をめざして

村野節子、山辺真理子、向山陽子 ● 著
B5判　164頁＋別冊12頁　CD1枚付　2,200円（税込）　（ISBN978-4-88319-595-4）

中級レベル
ロールプレイで学ぶビジネス日本語
―就活から入社まで―

村野節子、山辺真理子、向山陽子 ● 著
B5判　103頁＋別冊11頁　CD1枚付　1,870円（税込）　（ISBN978-4-88319-770-5）

■ JLRTの攻略

BJTビジネス日本語能力テスト
聴解・聴読解 実力養成問題集 第2版

宮崎道子 ● 監修　瀬川由美、北村貞幸、植松真由美 ● 著
B5判　215頁＋別冊45頁　CD2枚付　2,750円（税込）　（ISBN978-4-88319-768-2）

BJTビジネス日本語能力テスト
読解 実力養成問題集 第2版

宮崎道子 ● 監修　瀬川由美 ● 著
B5判　113頁　1,320円（税込）　（ISBN978-4-88319-769-9）

スリーエーネットワーク

ウェブサイトで新刊や日本語セミナーをご案内しております。
https://www.3anet.co.jp/

にほんごで働く！
ビジネス日本語 30時間

別冊
ことば（英語・中国語・韓国語）

スリーエーネットワーク

1 紹介する

談話1

めいわく　迷惑	nuisance	麻烦	민폐
しどう(する)　指導(する)	guide	指教	지도 (하다)
てんきん(する)　転勤(する)	transfer	调动工作	전근 (하다)
けんしゅう　研修	training	培训	연수
はいぞく　配属	assignment, posting	分配	배치
みょうじ　名字	surname	姓	성
たんとう(する)　担当(する)	be in charge of	担当	담당 (하다)
プロジェクト	project	项目推进	프로젝트
チーム	team	小组	팀
くわわる　加わる	join	加入	가담하다

談話2

せわ　世話	be assigned to	关照	신세
しんせいひん　新製品	new product	新产品	신제품
きかく　企画	planning	计划	기획
ちく　地区	area	地区	지역
しじょうちょうさ　市場調査	market research	市场调查	시장조사

談話3

たすける　助ける	help	帮助	돕다
ひきたてる　引き立てる	support	关照	이끌어 주다
きちょう　貴重	valuable	贵重	귀중하다
じょうほう　情報	information	信息	정보
もうしわけない　申し訳ない	sorry	抱歉	죄송하다
アドバイス	advice	建议	어드바이스

会話1

にゅうしゃ(する)　入社(する)	join a company	进公司	입사 (하다)

このたび	this time	这次	이번에
ゆうしゅう　優秀	excellent	优秀	우수하다
せいせき　成績	result	成绩	성적
わがしゃ　わが社	our company	本公司	우리회사
ごうかく(する)　合格(する)	pass	考上、及格	합격(하다)
とんでもないです	Far from it.	哪里的话	천만에요. 별말씀을.
～づとめ　～勤め	working for ～	在～工作	～근무
とまどう　戸惑う	be bewildered	困惑	갈피를 못 잡다

会話2

こうたい　交代	replacement	交替	교대
じつは　実は	actually	其实	사실은
こうにん　後任	successor	后任	후임
もの　者	person	者	사람
おそれいります　恐れ入ります	It is very kind of you.	不敢当	송구스럽습니다.
どうよう　同様	the same as	一样	같이
めいし　名刺	business card	名片	명함
せいいっぱい　精いっぱい	with all one's effort	竭尽全力	있는 힘껏

会話3

うち	our side	本公司	저희
はんとし　半年	half a year	半年	반년
～ちかく　～近く	nearly ～	将近～	～가깝게
こんごとも　今後とも	from this time on	今后(还)	앞으로도

練習1

けいご　敬語	honorifics	敬语	경어
しつれいですが　失礼ですが	excuse me	对不起	실례합니다만
～しゃ　～社	～ corporation	～公司	～사
ほうもん(する)　訪問(する)	visit	拜访	방문(하다)
しょるい　書類	documents	文件	서류
レポート	report	报告	레포트

けんしゅうせい　研修生	trainee	进修生	연수생
かいがい　海外	overseas	海外	해외
しゅっちょう(する)　出張(する)	(go on a) business trip	出差	출장 (가다)
スケジュール	schedule	日程	스케줄
ホテルをとる	reserve a hotel	订饭店	호텔을 예약하다
しんかんせん　新幹線	bullet train	新干线	초고속열차
きかくしょ　企画書	proposal	计划书	기획서
ないよう　内容	contents	内容	내용
くわしい　詳しい	detailed	详细	자세하다
しりょう　資料	data	资料	자료
ファクス	fax	传真	팩스

練習2

こくない　国内	domestic	国内	국내
いちらん　一覧	list	一览	일람

2　あいさつをする

談話1

そうたい(する)　早退(する)	leave early	早退	조퇴 (하다)
おかげさまで	thanks to	托您的福	덕분입니다
きこく(する)　帰国(する)	return to one's country	回国	귀국 (하다)
けっこんしき　結婚式	wedding ceremony	婚礼	결혼식
ぶじ　無事	smoothly	顺利	무사하게

談話2

ごぶさた	long out of touch	久不访问	격조
なんとか	not bad, I guess	还好	그럭저럭

談話 3

たんじょう　誕生	birth	诞生	탄생
えいてん　栄転	promotion	升迁	영전
しょうしん　昇進	promotion	晋升	승진

談話 4

やめる　辞める	quit	辞(职)	그만두다
たいしょく(する)　退職(する)	resign, retire/ resignation, retirement	退职、退休	(정년)퇴직(하다)
いどう(する)　異動(する)	transfer	调动	이동(하다)

会話 1

インフルエンザ	flu	流感	인플루엔자
おなかにくる	affect one's stomach	(因感冒而引起的)腹泻	설사하다
ひどいめにあう　ひどい目にあう	feel very bad	倒了大霉	혼쭐나다
バリバリやる	work like a horse	干劲十足地干	팔팔하게 일하다
たまる	pile up	积压	쌓이다

会話 2

じき　時期	time	时期	시기
さっする　察する	guess	观测	짐작하다
ひとつよろしくたのみます ひとつよろしく頼みます	I would appreciate your full support.	请多关照	아무쪼록 잘 부탁드립니다

会話 3

まる～ねん　まる～年	～ whole years	整～年	만 ～년
きをつける　気をつける	take care	注意	조심하다

練習1

よさん　予算	budget	预算	예산
ずいぶん	considerably	相当	상당히
だいがくいん　大学院	graduate school	研究生院	대학원
たいした　大した	impressive	了不起	대단하다
からだがつづく　体がつづく	have enough stamina	身体抗得住	몸을 지탱하다

練習2

らいてん　来店	coming to our shop	来店里	내점
のみや　飲み屋	bar	小饭馆	술집
きゅう　急	urgent	突然	갑작스럽다
やちん　家賃	(house) rent	房租	집세
ねだん　値段	price	价钱	가격

3　電話をかける・受ける

談話1

ふざい　不在	absence	不在	부재
ただいま	right now	现在	지금
せきをはずす　席をはずす	be not at one's desk	暂时离开	자리를 비우다
でんごん　伝言	message	转告	전언, 메모
かしこまりました	Certainly.	知道了(自谦语)	알겠습니다.
がいしゅつ　外出	going out	外出	외출
～ちゅう　～中	in the middle of ～	正在	～중
のちほど　後ほど	afterwards	过一会儿	나중에
でんわにでる　電話に出る	answer the phone	接电话	전화를 받다
しょくじにでる　食事に出る	go out for a meal	出去吃饭	식사하러 가다
でんわがある　電話がある	have a call	有电话	전화가 오다

談話 2

へんこう(する)　変更(する)	change	变更	변경(하다)
しょうち(する)　承知(する)	understand	知道	승낙(하다)
パンフレット	brochure	小册子	팜플렛
～ぶ　～部	～ copy	～份	～부
せんじつ　先日	the other day	上次	일전에
けん　件	matter	事情	건
みつもり　見積もり	estimate	估价	견적
しきゅう　至急	as soon as possible	赶快	시급하다
おりかえし　折り返し	immediately	回(电话)	즉시

談話 3

かくにん(する)　確認(する)	make sure	确认	확인(하다)
ねんのため　念のため	just to make sure	为了慎重起见	만일을 대비해
ふくしょう(する)　復唱(する)	repeat	重复	복창(하다)
くりかえす　繰り返す	repeat	反复	반복하다

談話 4

あいて　相手	the other person	对方	상대
しゃめい　社名	company name	公司名称	사명
ききかえす　聞き返す	ask again	再问一遍	되묻다
しつれいしました　失礼しました	I am sorry.	对不起	실례했습니다.

会話 1

でんごんをうける　伝言を受ける	receive a message	答应予以转告	전언을 받다

会話 2

しょうしょう　少々	a little while	稍稍	잠시

練習1

うちあわせ　打ち合わせ	meeting	碰头	미리 상의함
ほうこく(する)　報告(する)	report	报告	보고(하다)
サンプル	sample	样品	샘플
しょうひん　商品	goods	商品	상품
にゅうか(する)　入荷(する)	arrive	进货	입하(하다)
にちじ　日時	date and time	日期和时间	일시

練習2

らいきゃく　来客	visitor	来客	방문객

4　注意をする・注意を受ける

談話1

おじぎ	bow	鞠躬	머리숙여 인사함
ふかい　深い	deep	深深	깊이 (숙이다)
おきゃくさま　お客様	client	顾客、客户	손님
あしをくむ　足を組む	cross one's legs	交叉着腿	다리를 꼬다
じみ　地味	conservative	朴素	수수하다

談話2

えんきょくてき　婉曲的	euphemistic	委婉	완곡적이다
コスト	cost	成本	코스트
みなおす　見直す	look over again	重新(研究)	재고하다
きづく　気づく	notice	注意到	생각나다
めにつく　目につく	attract someone's attention	显眼	눈에 띄다
ほうこくしょ　報告書	report	报告书	보고서
ちょうさ　調査	inquiry	调查	조사
けっか　結果	result	结果	결과
グラフ	graph	图表	그래프

ヘアスタイル	hairstyle	发型	헤어 스타일
むく　向く	suit, be suitable	适合	적합하다

談話3

くじょう　苦情	complain	不满意见	불평
みほん　見本	sample	样品	견본
とどく　届く	arrive	收到	오다
せいきゅうしょ　請求書	invoice	付款通知单	청구서
はっちゅうしょ　発注書	purchase order	订单	발주서
のうひん(する)　納品(する)	deliver	交货	납품(하다)
さくじつ　昨日	yesterday	昨天	어제

会話1

うなずく	nod	点头	끄덕이다
あいづちをうつ　あいづちを打つ	make brief responses while listening	随声附和	맞장구를 치다
ごうにいってはごうにしたがえ　郷に入っては郷に従え	When in Rome, do as the Romans do.	入乡随俗	로마에 가면 로마의 법을 따르라
ちゅうこく　忠告	advice	忠告	충고

会話2

さくせい　作成	preparation	作	작성

会話3

てはい　手配	arrangement	准备	준비
まことに　誠に	really	实在	대단히

練習1

ちこく　遅刻	being late	迟到	지각

ひょうばん　評判	reputation	评价	평판
かいりょう　改良	improvement	改良	개량
ふまん　不満	complaint	不满	불만
はなしあい　話し合い	talks, discussion	商议	의논
けいひ　経費	costs	经费	경비
むだ　無駄	unnecessary	浪费	쓸데없다
しゅっぴ　出費	expense	开支	출비

練習2

みつもりしょ　見積書	written estimate	估价单	견적서
プリンター	printer	印刷机	프린터
せつめいしょ　説明書	manual	说明书	설명서
おうせつしつ　応接室	reception room	接待室	응접실
はっちゅうひん　発注品	ordered item	订的货	발주품
かたばん　型番	model number	型号	디자인번호

練習3

さくげん(する)　削減(する)	cut	削减	소멸(하다)
ふきゅう(する)　普及(する)	become popular	普及	보급(하다)
こうりつ　効率	efficiency	效率	효율
なっとく(する)　納得(する)	understand	信服	납득(하다)
ざんぎょう　残業	overtime work	加班	잔업
ゆうせんじゅんい　優先順位	priority order	优先顺序	우선순위
こうこくひ　広告費	advertising cost	广告费	광고비
だいだいてきに　大々的に	on a large scale	大大地	대대적으로
せんでん(する)　宣伝(する)	advertise	宣传	선전(하다)
ぐたいてき　具体的	specific	具体	구체적이다
すうじ　数字	figures	数字	숫자
しめす　示す	show	出示	나타내다

5　頼む・断る

談話1

いらい(する)　依頼(する)	ask	委托	의뢰(하다)
めをとおす　目を通す	look over	过目	훑어보다
いんかん　印鑑	personal seal	印章	인감
チェック(する)	check	核对	체크(하다)
せんぽう　先方	the other party	对方	거래처

談話2

うりあげ　売り上げ	sales	销售额	매출
データ	data	数据	데이터
さくねんど　昨年度	last year	上一个年度	작년도
けっさん　決算	account settlement	决算	결산
ファイル	file	文件夹	파일

談話3

ことわる　断る	decline	回绝	거절하다
やくす　訳す	translate	翻译	번역하다
しめきり	deadline	截止	마감
いそぎ　急ぎ	urgent	急	급하다
しゅっしゃ(する)　出社(する)	come to the office	上班	출근(하다)
ゆうじん　友人	friend	朋友	친구
みあい　見合い	meeting with a view to marriage	相亲	맞선

談話4

こうしょう　交渉	negotiation	交涉	교섭
べんきょう(する)　勉強(する)	reduce the price	便宜	상품 값을 싸게 하다
まける	cut the price	让价	깎다

談話 5

かんゆう　勧誘	solicitation	劝说	권유
おとく　お得	beneficial, economical	合算	이득
ほけん　保険	insurance	保险	보험
プラン	plan	计划	플랜
てがはなせない　手が離せない	busy	腾不出手	일손을 놓을 수 없다

練習 1

できあがる	finish	（做）好了	완성되다

練習 2

しゅっきん(する)　出勤(する)	go to work	上班	출근(하다)
にゅうりょく(する)　入力(する)	input	输入	입력(하다)
トラブル	trouble	纠纷、故障	트러블
けんさ　検査	checkup	检查	검사
クレーム	complaint	索赔	클레임
さぼる	idle about	偷懒	게을리하다

練習 3

しじ　指示	instruction	指示	지시
といあわせ　問い合わせ	inquiry	询问	문의
でんわがはいる　電話が入る	have a call	来电话	전화가 오다
へんしん(する)　返信(する)	reply	回信	답신(하다)
パワーポイント	PowerPoint	演示文稿(PPT)	파워 포인트

6 許可をもらう

談話1

きょか　許可	permission	许可	허가
もとめる　求める	ask	请求	구하다
ずつうがする　頭痛がする	have a headache	头疼	머리가 아프다
がいしゅつさき　外出先	the place where one is going to	外出地点	행선지
ちょっき(する)　直帰(する)	return home directly	直接回家	현지퇴근하다
～ごろ	around ～	～左右	～쯤
ゆうきゅう　有休	paid holiday	带薪休假	유급휴가
しゃようしゃ　社用車	company car	公司的车	업무용차
こうつうのべん　交通の便	access, transportation convenience	交通 (方便或不方便)	교통편
しゅっせきしゃ　出席者	participant	出席者	출석자
ビジネスマナー	business manner	商业规矩	비지니스 매너
しどうしゃ　指導者	leader	领导	지도자
さんか(する)　参加(する)	participate	参加	참가 (하다)
しんじん　新人	newcomer	新人	신인
こうかてき　効果的	effective	效果	효과적
しどうほう　指導法	way of instructing	指导方法	지도법
デザイン	design	设计	디자인

談話2

てもと　手元	at hand	手边	바로 옆
ごうどうセミナー　合同セミナー	joint seminar	联合研讨会	합동 세미나
プロジェクター	projector	投影机	프로젝터
ていあん(する)　提案(する)	suggest	提案	제안 (하다)
じかい　次回	next time	下次	다음 번
ミーティング	meeting	会议	미팅
ざいこ　在庫	stock	库存	재고

会話1

ねつっぽい　熱っぽい	feverish	(觉得) 发烧	열이 있는 듯하다

はかる　測る	take	量	재다
～ど～ぶ　～度～分	～ degree(s)	～度～分	～도 ～부

会話2

かなり	quite	相当	꽤
とおまわり　遠回り	detour	绕远	돌아감

会話3

てんじかい　展示会	exhibition	展览会	전시회

練習1

ウイルス	virus	病毒	바이러스
かんせん(する)　感染(する)	be infected	感染	감염 (하다)
しんにゅうしゃいん　新入社員	new employee	新职工	신입사원
なきだす　泣き出す	begin to cry	哭起来	울기 시작하다
みあたらない　見当たらない	be missing	找不到	보이지 않는다

練習2

きそく　規則	regulation	规则	규칙
きんむじかん　勤務時間	working hours	工作时间	근무시간
たいしょくねがい　退職願い	letter of resignation	退职报告	퇴직서
ていしゅつ(する)　提出(する)	hand in	提出	제출 (하다)
ゆうきゅうきゅうか　有給休暇	paid holiday	带薪休假	유급휴가
けんこうかんり　健康管理	healthcare	健康管理	건강관리
きゅうよ　給与	salary	工资	급여
しきゅう(する)　支給(する)	pay	支付	지급 (하다)
ボーナス	bonus	奖金	보너스
きゅうりょう　給料	salary	工资	급료

7　アポイントをとる

談話1

アポイントをとる	make an appointment	预约	약속을 잡다
こうこくせんりゃく　広告戦略	advertising scheme/strategy	广告战略	광고전략
りょひ　旅費	traveling expenses	旅费	여비
はんばい　販売	sale	贩卖	판매

談話2

はつばい(する)　発売(する)	sell	发售	발매(하다)
ほんじつ　本日	today	本日	오늘 / 금일
みょうごにち　明後日	the day after tomorrow	后天	모레

談話3

めんしきがある　面識がある	be acquainted with	认识	면식이 있다
さっそく　早速	to get to the point right way	立即	지체없이 하는 모양
わたくしども　私ども	we	我们（自谦语）	저희
ちかいうち　近いうち	soon	最近几天内	일간에
かいせつ　開設	opening	开设	개설
きんじつちゅう　近日中	in a few days	近期内	근일중에
しんき　新規	new, start-up	新	신규
じぎょう　事業	business	事业	사업
とりひき　取引	transaction	买卖	거래
ちかぢか　近々	in a short while	最近几天内	일간에

談話4

こうはん　後半	the latter half	后半	후반
きんきゅう　緊急	urgent	紧急	긴급
かいぎがはいる　会議が入る	have a meeting	预定有会	회의가 생기다
たいちょうをくずす　体調を崩す	become sick	身体垮了	몸상태가 안좋다

会話1

| しりあい　知り合い | acquaintance | 认识 | 지인 |

会話2

アポ	appointment	预约	약속
どうこう(する)　同行(する)	accompany	同行	동행 (하다)
よていがはいる　予定が入る	have an appointment	已有安排	예정이 생기다
じかんをとる　時間をとる	spare time	抽时间	시간을 내다

会話3

| かって　勝手 | for one's convenience | 只考虑自己 方便 | 자기 형편에 맞추다 |

練習1

| ようけん　用件 | business | 事情 | 용건 |

練習2

あらためる　改める	change	改	변경하다
けっこうです	Sure.	可以	좋습니다
けんとう(する)　検討(する)	consideration/consider	研究	검토 (하다)
ぼしゅう　募集	recruitment	招募	모집

8　訪問する

談話1

| とりつぎ　取り次ぎ | giving a person's name | 传达 | 방문을 전함 |

とりつぐ　取り次ぐ	tell a person a visitor is here to see him/her	传达	방문을 본인에게 전하다

談話 3

じきょ(する)　辞去(する)	leave	告辞	떠나다
じかんをさく　時間をさく	spare time	腾出时间	시간을 내다
どうか	please	请	아무쪼록
き　機	opportunity	机会	기회
つきあい	keeping company	交往	친분

会話 1

らいかんしゃしょう　来館者証	visitor's ID	来宾证	내관자증
みぎて　右手	right	右手	오른쪽
インターホン	intercom	内部有线对讲机	인터폰

会話 2

めんかい(する)　面会(する)	see, meet	会面、会见	면회 (하다)
まったく　全く	at all	完全	전혀
ニュアンス	nuance	语感、语气	뉘앙스
ながいをする　長居をする	stay too long	久坐	오래 머물다
ひきとめる　引き止める	keep	挽留	만류하다
わざわざ	taking the trouble	特意	일부러

練習 1

ついかちゅうもん　追加注文	additional order	追加订货	추가주문
けいやく　契約	contract	合同	계약
じょうけん　条件	condition	条件	조건

練習2

ずめん　図面	plan	图纸	도면
どうき　同期	the same year	同期	동기
～いらい　～以来	since ～	～以来	～이래
ライバル	rival	竞争对手	라이벌
まずい	inappropriate	不太合适、不好	좋지않다
かぶ　株	stock	股票	주식
おおぞん(する)　大損(する)	lose heavily	损失惨重	큰 손해를 보다
ボーっとする	be absentminded	发愣	멍하게 있다
りかい(する)　理解(する)	understand	理解	이해 (하다)
きちんと	properly	好好地	제대로
うりあげだか　売上高	sales	销售额	매출고
のびる　伸びる	increase	增长	오르다
へんぴん　返品	returned goods	退货	반품

練習3

せんもんしょ　専門書	technical book	专业图书	전문서
セミナー	seminar	研讨会	세미나
こうし　講師	lecturer	讲师	강사
にちじょうかいわ　日常会話	daily conversation	生活会话	일상회화
つよい　強い	be good at	精通	잘한다
ホームページ	homepage	网页	홈페이지
ちしき　知識	knowledge	知识	지식
ぎょうむほうこく　業務報告	business report	业务报告	업무보고
ビジネスレター	business letter	商业信函	문서
ふじゆう　不自由	inconvenience	不方便、不自由	불편하다
とくいさき　得意先	customer	顾客、客户	주거래처
まかせる　任せる	entrust	委托	맡기다

会社で使うことば

役職名

かいちょう　会長	chairman	会长	회장
しゃちょう　社長	president	总经理	사장
ふくしゃちょう　副社長	vice president	副总经理	부사장
せんむ　専務	senior managing director	专务董事	전무
じょうむ　常務	executive managing director	常务董事	상무
かんさやく　監査役	auditor	监察役	감사
ほんぶちょう　本部長	managing director	本部长	본부장
じぎょうぶちょう　事業部長	division manager	事业处处长	사업부장
ぶちょう　部長	general manager	处长	부장
じちょう　次長	assistant general manager	副处长	차장
かちょう　課長	manager	科长	과장
かかりちょう　係長	assistant manager	股长	계장
しゅにん　主任	supervisor	主任	주임
しゃいん　社員	employee	职工	사원

部署名

〜ぶ　〜部	〜 division	〜处	〜부
〜か　〜課	〜 department	〜科	〜과
じぎょうぶ　事業部	project division	事业处	사업부
えいぎょうぶ　営業部	sales division	营业处	영업부
そうむぶ　総務部	general affairs division	总务处	총무부
じんじぶ　人事部	personnel division	人事处	인사부
けいりぶ　経理部	accounting division	会计处	경리부
かいはつぶ　開発部	development division	研制开发处	개발부
きかくぶ　企画部	planning division	计划处	기획부

会社の呼び方

ほんしゃ　本社	head office	总公司	본사
ししゃ　支社	branch office	分公司	지사
とうしゃ　当社	our company	本公司	당사

会社で使うことば　19

へいしゃ　弊社	our company	敝公司	폐사
おんしゃ　御社	your company	貴公司	귀사
きしゃ　貴社	your company	貴公司	귀사
しゃない　社内	in-house	公司内部	사내
しゃがい　社外	outside	公司外部	사외
じしゃ　自社	our company	自己公司	자사
たしゃ　他社	other companies	別的公司	타사

会社の人間関係

じょうし　上司	boss	上司	상사
どうりょう　同僚	colleague	同事	동료
ぶか　部下	subordinate	部下	부하
せんぱい　先輩	senior	前輩	선배
こうはい　後輩	junior	晩輩	후배